LA TROADE
ANTIGONE

Il a été tiré de cet ouvrage : 150 exemplaires sur papier Bible numérotés de B. 1 à B. 150.

LES TEXTES FRANÇAIS

COLLECTION DES UNIVERSITÉS DE FRANCE

PUBLIÉE SOUS LE PATRONAGE

DE L'ASSOCIATION GUILLAUME BUDÉ

ROBERT GARNIER

LA TROADE
ANTIGONE

TEXTE ÉTABLI ET PRÉSENTÉ
PAR
RAYMOND LEBÈGUE

SOCIÉTÉ LES BELLES LETTRES

95, BOULEVARD RASPAIL, 95

PARIS

1952

Conformément aux principes de la Collection LES TEXTES FRANÇAIS, *ce volume a été soumis à l'approbation du Comité de Publication, qui a chargé M. R.-L. Wagner d'en faire la révision en collaboration avec M. Raymond Lebègue.*

LA TROADE

TRAGEDIE

A MONSEIGNEUR
L'ARCHEVESQUE DE BOURGES

Je vous ay presenté, Monseigneur, un eschantillon de ceste Tragedie, n'estant encore demy ébauchee : que maintenant, ayant receu la derniere main de son Autheur, je pousse en public, sous la targue de vostre nom. Ne pensant qu'un ouvrage lettré doive plus justement mendier sa protection, que d'un personnage accompli de toutes especes de literature, comme vous. Je sçay qu'il n'est genre de Poëmes moins agreable que cestuy-cy, qui ne represente que les malheurs lamentables des Princes, avec les saccagemens des peuples. Mais aussi les passions de tels sujets nous sont ja si ordinaires que les exemples anciens nous devront doresnavant servir de consolation en nos particuliers et domestiques encombres : voyant nos ancestres Troyens avoir, par l'ire du grand Dieu, ou par l'inevitable malignité d'une secrette influence des astres, souffert jadis toutes extremes calamitez : et que toutefois du reste de si miserables et dernieres ruines s'est peu bastir, après le decez de l'orgueilleux Empire Romain, ceste tres-florissante Monarchie.

Vostre serviteur

R. GARNIER.

Quel son masle et hardy, quelle bouche heroïque,
Et quel superbe vers enten-je icy sonner ?
Le lierre est trop bas pour ton front couronner,
Et le bouc est trop peu pour ta Muse tragique.

Si Bacchus retournoit au manoir Plutonique,
Il ne voudroit Eschyle au monde redonner,
Il te choisiroit seul, qui seul peux estonner
Le theatre François de ton cothurne antique.

Les premiers trahissoyent l'infortune des Rois,
Redoublant leur malheur d'une trop basse voix :
La tienne comme foudre en la France s'écarte.

Heureux en bons esprits ce siecle plantureux :
Après toy, mon GARNIER, je me sens bien-heureux
De quoy mon petit Loir est voisin de ta Sarte.

                                        P. DE RONSARD.

          Qualis virentis valle sub humida
          Apis Matini, cùm Zephyri novos
          Soles recludunt, et malignis
          Sidera frigoribus soluta

          Almam tepenti rore beant humum :
          Egressa tectis, gramina plurimo
          Distincta flore, urgétque odoros
          Suave croco violáque saltus :

          Hinc melle pinnas perlita roscido,
          Illinc recenti crura thymo gravis

Decedit agris, elabora-
tum artifici ore ferens liquorem.

Talis novenis chare sororibus,
Vatíque sacram qui Pataram colit,
GARNERI, opimos per recessus
Quotquot amœnæ habuere Musæ,

Incedis : et quà rura Aganippides
Actæa lymphæ flumine dividunt,
Et quà arduis occurrit astris
Mons bifida celebratus arce :

Hîc æmulatim quæque tibi suas
Pimplæis artes, muneráque explicat :
Hinc te Attico reples lepore,
Hinc Latiæ gravitate scenæ :

Utroque solers dicere pectine,
Utrosque concinnè agglomerans modos
Cæleste opus stipas superbæ
Spem reliquam Astyanacta Troiæ.

Quid impotenti non facile est lyræ,
Quidve insolens ? En te duce, te tuo
Dicente plectro ecce opacum
Tempe nemus trepidant ciere :

Et quo canentes sedulo in otio
Tenes Camœnas, pumiceis tui
Sartæ sub antris, hospitales
Perpetuum meditantur umbras.

Sic de nivosis Sithonii jugis
Hæmi expeditas reddidit æsculos
Errare quocunque indicasset
Threiciæ fidicen Thaliæ.

PETRUS AMYUS.

Argument de la Troade.

Troye estant prise, saccagee et destruitte, les Grecs
prests de s'embarquer pour retourner en leurs maisons,
partagent leur butin : donnent au Roy Agamemnon,
comme par prerogative, la vierge prophete Cassandre,
à laquelle il estoit affectionné. Arrestent par commun
advis, pour le bien et seureté de la Grece, et pour obvier
à nouvelles guerres, de faire mourir Astyanax, l'unique
fils d'Hector. Ce qui fut executé, en le precipitant d'une
tour. Or, estans sur ce partement, l'Ombre d'Achille
apparut sur son sepulchre d'une forme effroyable, se plaignant des Grecs de l'avoir mesprisé, et les menaçant de
grands malheurs et infortunes, s'ils ne tuoyent Polyxene
sur son tombeau. Lesquels ayans presqu'à l'instant apperceu
que leurs galeres demeuroyent immobiles au port et n'en
pouvoyent estre tirees, resolurent par l'advis de Calchas
de la faire occire sur sa tombe par Pyrrhe son fils. A quoy
ceste jeune Princesse se presenta franchement et d'un
magnanime cœur. Son corps fut porté laver par ses compagnes Troyennes au bord de la mer, pour l'ensevelir :
Où de cas d'adventure fut par elles apperceu celuy de
Polydore, le plus jeune des enfans d'Hecube et de Priam,
lequel avoit esté pendant le siege secrettement envoyé

en Thrace au Roy Polymestor, pour le nourrir et sauver
des mains des ennemis, s'il advenoit desastre à la ville :
à fin que tiré de cest orage, il peust par le moyen des grands
thresors, qui furent portez avec luy, ramasser *nouveaux
peuples*, rebastir ceste belle ville, et remettre le Royaume
en son premier estat. Ce qui succeda autrement. Car Polymestor ayant sceu que tout estoit ruiné et mis à feu et à
sang, et Priam mesmes occis, vaincu de ce malheureux
desir de butiner, meurtrist ce jeune enfant son hoste, et
en jetta le corps dans la mer, que les vagues pousserent
incontinent au rivage opposite. Hecube, l'ayant en grand
dueil receu, et le voyant massacré de plusieurs playes,
prend resolution avec ses femmes de se venger du meurtrier. Et pour effectuer son dessein, trouve façon de l'attirer
finement à soy, sous esperance de recevoir d'elle les anciens
thresors et richesses de Troye, qu'elle feint avoir en partie
enterrez sous les ruines de la ville, et en partie luy avoir
apportez pour les garder à Polydore. L'introduit seul avec
ses deux enfans en sa tente, où se trouve de propos deliberé
grand nombre de Dames Troyennes, qui le saisissent
aussi tost, et luy crevent les yeux de leurs aiguilles, et meurtrissent cruellement ses enfans. Voyla le sujet de ceste
Tragedie, prins en partie d'Hecube et Troade d'Euripide,
et de la Troade de Seneque.

LA TROADE

Les entreparleurs de la Tragedie.

HECUBE.
Le Chœur des femmes Troyennes.
TALTHYBIE, Herault de l'armee des Grecs.
CASSANDRE.
ANDROMACHE.
HELEN.
ULYSSE.
ASTYANAX.
PYRRHE.
AGAMEMNON.
CALCHAS, Devin et sacrificateur de l'armee.
POLYXENE.
Le Messager.
POLYMESTOR.

ACTE I.

HECUBE. LE CHŒUR. CASSANDRE.

Hecube.

Quiconque a son attente aux grandeurs de ce monde,
Quiconque au fresle bien des Royaumes se fonde,
Et qui dans un palais, superbe, commandant,
Le desastre ne craint sur sa teste pendant :
5   Qui credule se donne à la Fortune feinte,
Qui des volages dieux, des dieux legers n'a crainte,
Me vienne voir chetive, ô Troye ! et vienne voir
En cendres la grandeur que tu soulois avoir :
Nous vienne voir, ô Troye ! ô Troye ! et qu'il contemple
10   L'instable changement du monde, à nostre exemple.
    Jamais le sort muable à mortels ne s'est tant
Qu'à nous, peuple Troyen, fait cognoistre inconstant :
Fait cognoistre le flux des fortunes humaines,
Et comme de nos mains elles coulent soudaines,
15   Abusant nostre vie, et repaissant nos cœurs
D'une vaine liesse empreinte de langueurs.
L'orgueil de la grand'Troye est destruit miserable,
L'ornement de l'Asie, ô perte deplorable !
Le saint labeur des Dieux, que les Scythes felons

2

20 Qui habitent errans dessous les Aquilons,
   Ceux qui boivent le Tygre et l'Eufrate, et encore
   Ceux qui plus reculez voyent naistre l'Aurore,
   Sont venus secourir, ores pieds contre-mont
   De sa ruine engendre un lamentable mont.
25   La flamme rougissante aux bastimens se lie,
   Au sang de ses enfans Troye ard ensevelie,
   Les palais orgueilleux du grand Laomedon
   Fument loin, devorez du Dolope brandon :
   Les temples on saccage, et le brasier de Troye
30 N'empesche le vainqueur de courir à la proye :
   On la saccage ardente, et le Soleil flammeux
   La couvre enveloppé d'un nuage fumeux.
      Le soldat ennemi la regarde et s'estonne,
   Bien qu'ardant de courrous, que sa main la moissonne :
35 Tant elle apparoist grande et superbe en tombant,
   Et tant se voit d'espace en sa braise flambant.
   Si grand feu l'espouvante, ayant peur qu'il se darde
   Jusque aux lambris du ciel, et que tout le monde arde.
      Le son de sa ruine, et des fracassemens
40 Que font de toutes parts tant de hauts bastimens,
   Fait mouvoir le rivage, et la mer oragee
   Qui tempeste escumant aux rochers de Sigee.
   Ide, le sacré mont, en resonne dolent,
   De ses pleureux Cyprés la perruque branlant :
45 Mille vaisseaux Gregeois ne sont assez capables
   Pour le butin ravi des flammes execrables :
   Le rivage en est plein, la mer s'en va joüant,
   Et maints riches joyaux vont sur les flots noüant.
      J'atteste des grands Dieux la puissance funeste,
50 Je t'atteste, Ilion, et tes cendres j'atteste,
   Et toymesmes Priam, des Dardanes le Roy,
   Que Troye ensevelie ensevelist en soy :
   Et vous, mes chers enfans, nombreuse geniture :

Je vous atteste aussi, par vos Ombres je jure
55 Que j'ay cogneu premiere, et premiere predit
Nos malheurs que Cassandre a furieuse dit :
Nos malheurs que Cassandre a, de Phebus esmeuë,
Predit pour nostre bien, qui ne l'avons pas creuë.
J'ay veu, j'ay veu, premiere, helas ! je les ay veus,
60 De toy, Paris, enceinte, et ne les ay pas teus.
      Le caut Laërtien, ny le vaillant Tydide,
Le deloyal Sinon, ny le fatal Pelide
N'ont eslancé ce feu, qui brusle estincelant :
C'est moy qui l'ay soufflé, c'est moy qui vay bruslant
65 Les grands murs d'Ilion, les antiques Pergames,
Hecube, c'est ton feu, ce sont tes propres flames.
      Mais pourquoy gemis-tu ? pourquoy vas-tu pleurant
Les ruines de Troye et son feu devorant ?
Pourquoy les pleures-tu, lamentable vieillesse ?
70 Pense à ta propre perte, à ta propre tristesse.
Troye est un dueil publique où chacun a sa part,
Mais pleure ton Priam, reverable vieillard :
Las ! je l'ay veu meurtrir, Dieux ! ce penser m'affole,
Et dedans le gosier m'arreste la parole.
75   J'ay veu, j'ay veu chetive, au saint autel des Dieux,
Le jeune Pelean occire furieux
Le monarque d'Asie, et sa mortelle espee
Dedans le tiede sang de sa gorge trempee.
En vain de Jupiter l'image il embrassa,
80 Et pour avoir secours sa voix luy addressa :
En vain palle et tremblante aux piés de ce Pelide
J'opposay ma poitrine à son glaive homicide,
Pour recevoir le coup de sa barbare main,
Pour recevoir l'effort de son glaive inhumain.
85 Le bon homme il tira par la perruque grise,
L'arrachant des autels, nostre vaine franchise,
Et jusques au pommeau son poignard luy passa

Par son debile corps, qui soudain trespassa.
Son froid sang, consommé par les saisons de l'âge,
90   Jaillissant foiblement m'arrosa le visage.
Mourant je l'embrassay, j'embrassay mon espoux,
M'arrachant les cheveux, me martellant de coups.
Las, ô rigueur du ciel ! ô voûte lumineuse !
O Celestes cruels ! ô Parque rigoureuse !
95   Il ne me fut permis de faire un plus long dueil,
Il ne me fut permis de le mettre au cercueil,
Il ne me fut permis de clorre ses paupieres,
Et de dire sur luy les paroles dernieres,
On m'entraina de force en ces fatales naus,
100   Avec ce peuple serf, pour y pleurer nos maux.
          Ainsi l'âge grison de ce Roy venerable,
Ainsi de Jupiter l'image inviolable
N'ont esmeu le cruel : ainsi tombeau n'aura
Celuy qui tant d'enfans, pere, ensepultura !
105   De buscher aura faute aux ruines Troïques,
Et de funebres pleurs en nos larmes publiques !
          Encore n'est-ce assez, on va jettant le sort
Sur chacune de nous qui sommes sur ce port :
On nous va partageant comme quelque bagage,
110   Les filles de Priam et les brus on partage.
L'un, hardy, se promet l'Andromache d'Hector,
L'un la femme d'Helen, et l'autre d'Antenor,
L'un veut pour son butin ma Polyxene prendre,
Et l'autre veut avoir la prophete Cassandre :
115   De moy seule on n'a cure, on n'a cure de moy,
Nul de tous les Gregeois ne m'affecte pour soy.
          Mais, pourquoy, cher troupeau : pourquoy, filles cap-
                                              [tives,
N'emplissez-vous de cris ces resonnantes rives ?
Pourquoy cessent vos pleurs, et pourquoy cessez-vous
120   D'ouvrir vostre poitrine et la plomber de coups ?

Pleurons nostre Ilion, ô filles, pleurons Troye,
Et que le Ciel sanglant nos cris funebres oye.
Les obseques faisons de Troye, et que les bois
D'Ide malencontreuse entendent nostre voix.

LE CHŒUR.

125   Nous ne sommes pas nouvelles
        A lamenter nos malheurs,
        Nous avons continuelles
        Depuis espandu des pleurs,
        Que la navire Troyenne,
130   Arbre à Cybele sacré,
        Pour nostre mal eut ancré
        Sur la rive Amycleanne.

        Depuis, les steriles branches
        De tes solitaires bois
135   On a veu de neges blanches
        Enfariner par dix fois,
        Ide : et les plaines fecondes
        De Gargare et de Sigé
        Depuis ont dix fois chargé
140   Leur sein de javelles blondes.

        Nul jour en tout cest espace
        Exempt de pleurs n'a esté :
        Comme une infortune passe,
        Survient une adversité.
145   Tousjours un nouvel esclandre
        La fin de nos malheurs suit,
        Qui nouveaux regrets produit,
        Et nouvelles pleurs engendre.

        Allez, Royne venerable,

150   Lamentez vostre accident,
         Levez la main miserable,
         Nous vous irons secondant.
         Las ! nous vous suivrons, chetives,
         Vos plaintes accompagnant :
155   Aux pleurs qui nous vont baignant
         Nous ne sommes apprentives.

                   HECUBE.
         Sus donc, compagnes fideles
         De nos malheurs, déliez,
         Déliez les tresses belles
160   De vos cheveux deliez :
         Qu'à val vostre col d'ivoire
         Ils tombent esparpillez,
         Et larmoyant les souillez
         Dedans ceste poudre noire.

165   Vos espaules albastrines
         Despouillez, et vos bras blancs,
         Et vos honnestes poitrines
         Découvrez jusques aux flancs :
         Vos robes soyent avalees.
170   Aussi bien pour quel espoux,
         Esclaves, garderez-vous
         Vos pudicitez volees ?

         Ceste façon m'est plaisante,
         Et convient à nostre estat.
175   Que vostre main forcenante
         Vostre triste sein ne bat ?
         Pleurons nos malheurs Troïques,
         Pleurons et pleurons encor
         La mort funeste d'Hector,

180 Reveillans nos pleurs antiques.

LE CHŒUR.

Nos perruques destachees
De leurs cordons, vont mouvant
Sur nostre dos espanchees,
Comme ondes au gré du vent :
185 Nous allons leur blonde soye
Et nos fronts deshonnorant
De cendres, le demeurant
De nostre defuncte Troye.

HECUBE.

Or desployez vos mains blanches,
190 Que vostre sein soit déclos,
Que vos habits jusqu'aux hanches
Vous tombent dessur le dos :
Et puis selon que la rage
De vostre juste langueur
195 Vous animera le cœur,
Faites à vos corps outrage.

Que les Rheteannes rives
Resonnent horriblement
Sous vos angoisses plaintives
200 Et vostre gemissement.
Qu'Echo, qui Deesse hante
Les antres des monts secrets,
Vos lamentables regrets
D'une longue voix rechante.

205 Que la mer vos cris entende,
Et le Ciel, les escoutant,
Par le monde les espande,

Nos esclandres racontant.
Il faut qu'un plus grand son j'oye
210 De nos seins que nous battons,
Puis qu'Hector nous lamentons,
Hector, l'ornement de Troye.

LE CHŒUR.

Pour toy souffrent nos Esprits,
Pour toy redoublent nos cris,
215   Pour toy, cendre Hectoride,
Nous sentons d'aspres efforts,
Et pour toy de nostre corps
    Coule le sang humide.

Tu estois le seul support,
220 Le mur, le rampart, le fort
    De nostre destinee :
Nostre esperance mourut
Par le dard qui te ferut,
    Troye en fut ruinee.

225 Elle arresta les destins
Pendant que tu la soustins,
    Hector, et le jour mesme
Que la mortelle Clothon
Devida ton peloton,
230   Luy fut son jour supreme.

HECUBE.

Hector est assez ploré
    De vos cris lamentables,
Que Priam soit honoré
    De complaintes semblables.

LE CHŒUR.

235 Entens, des Dardanes Roy,
Nos plaintes, et les reçoy,
Reçoy nos fertiles pleurs,
Reçoy nos longues douleurs.
Tu as, cher vieillard, deux fois
240 Esté prins par les Gregeois,
Deux fois Troye tu as veu
Ardre d'Achaïque feu,
Et ses murs deux fois outrez
Par les Herculides tretz.
245 Après que tu as les corps
Brulé de tes enfans morts,
Et logé leurs ossemens
Aux antiques monumens,
Tu es tombé le dernier
250 Chez l'avare Nautonnier,
Immolé du Pelean
A Jupiter Hercean :
Et maintenant comme un tronc,
Ton corps, couché de son long,
255 Va sans sepulchre pressant
Ce rivage blanchissant.

HECUBE.

Cessez, filles, cessez vos langoureuses plaintes,
Estouffez les soupirs de vos ames contraintes,
Laissez, laissez vos pleurs, vos gemissables pleurs,
260 Laissez vos tristes chants, et les tournez ailleurs.
Le destin de Priam ne semble lamentable,
Le destin de Priam ne luy est miserable,
Priam est bien-heureux, qui, bornant son ennuy,
Vieil a veu trebucher son royaume avec luy.
265 Maintenant asseuré de tous humains encombres

Il erre aux Elisez entre les saintes Ombres
Sous les fueillages frais des myrtes odoreux,
Recherchant son Hector, ô qu'il est bien heureux !
» O bien-heureux celuy qui, mourant en la guerre,
270 » De soymesme heritier ne laisse rien sur terre :
» Ains voit tout consommer devant que de mourir,
» Et avecque sa mort toute chose perir !

Le Chœur.

Mais voicy le Heraut de l'armee Argolique,
Il nous est envoyé pour quelque chose inique,
275 Je tremble, et le frisson me glace tout le corps.

Hecube.

Il nous faut, volontiers, laisser ces tristes bords.

Le Chœur.

Adieu, terre Troyenne.

Hecube.

A moy ce dur message,
Quel qu'il soit, appartient, il vient pour mon dommage.
Heraut, quel infortune encore nous assaut ?
280 Nostre malheur extreme a-til quelque defaut ?
Veut-on sacrifier ? veut-on de nous captives
Faire couler le sang sur ces moiteuses rives ?
Vos vaisseaux sont-ils pleins ? ne les peut-on charger,
Regorgeant de butin, de nos corps sans danger ?
285 Dy, Heraut, je te pry.

Talthybie.

Les Argolides Princes,
Desirans retourner en leurs douces provinces,
Sont au port assemblez pour partager entr'eux

Les despouilles qui sont en leurs navires creux :
Ils vont jetter le sort sur les Troïques Dames,
290 Puis ils departiront toutes les autres ames.

HECUBE.

Hé hé.

TALTHYBIE.

Mais, par honneur, les Gregeois ont fait don
De la vierge Cassandre au grand Agamemnon,
Cognoissant qu'il l'aimoit.

HECUBE.

Quoy ? ma fille Cassandre ?

TALTHYBIE.

Elle mesme : je suis envoyé pour la prendre.

HECUBE.

295 Cassandre, que Phebus a retenuë à soy ?

TALTHYBIE.

Elle a gaigné le cœur d'Agamemnon le Roy.

HECUBE.

Elle a sa chasteté consacree à Minerve.

TALTHYBIE.

» Le vœu ne sert de rien à celle qui est serve.

HECUBE.

Hé bons Dieux, ma Cassandre !

TALTHYBIE.

Et quel plus grand honneur

300   Luy sçauroit advenir que d'estre à tel seigneur ?

HECUBE.

La fille d'un grand Roy, ta prestresse divine,
O Phebus crespelé, servir de concubine !
Venez, fille, et ostez ces templettes qui sont
Autour de vostre teste, honneur de vostre front :
305   Jettez cet habit saint, ces robes solennelles,
Ces girlandes jettez, pour vos nopces nouvelles.
Mais dy moy qui aura Polyxene, des Grecs ?
Qui la femme d'Hector ?

TALTHYBIE.

                         Vous le sçaurez après,
Le sort n'est pas jetté.

HECUBE.

                    Moy que le dernier age
310   Et le mal debilite, entreray-je en partage ?
Seray-je mise au sort ? aura-ton le soucy
De m'embarquer vieillotte et enlever d'icy ?

CASSANDRE.

O bien-heureux Hymen ! souhaitable Hymenee !
O saint lict nuptial ! couche bien fortunee !
315   O nopçage royal ! Il vous convient parer,
Cheres filles de Troye, à fin de l'honorer.
Garnissez-vous de fleurs, et d'allegre courage
Chantez autour de moy ce fatal mariage.

HECUBE.

Filles, reparez-vous, allumez des flambeaux,
320   Et changez vos regrets en carmes nuptiaux.

CASSANDRE.

Consolez-vous, Madame : Helene l'adultere
N'a tant à nostre race apporté de misere,
De meurtres et d'horreurs en si grande foison,
Que j'en iray combler d'Atride la maison.

325 Esgorger je feray le prince de Mycenes
Dans son propre palais, et ressentir les peines
De mon vieil geniteur, que les sanglantes mains
Des Grecs ont massacré dans ses Penates saints.
Egorger je feray (j'en saute d'allegresse)

330 Le grand Agamemnon, monarque de la Grece,
Par sa femme impudique, et l'homicide dol
Du fils Thyestean, son adultere mol.
Je seray vengeresse et du sang de mes freres,
Et du sang de Priam, contre leurs adversaires.

335 Agamemnon je voy, le poignard dans le flanc,
Contre terre estendu, se touiller en son sang,
Se mouvoir, se debatre, ainsi qu'un bœuf qu'on tue,
Après le coup mortel s'efforce, s'évertue,
Se tourne et se retourne, et par ce vain effort

340 Cuide se garantir de la presente mort.
Puis je voy la fureur du parricide Oreste,
Comme sa mere il tue, et le fils de Thyeste,
Et comme, transporté d'amour hymenean,
Pyrrhe il va massacrant, le meurtrier de Priam.

345 Resjouy toy, mon cœur : car, bien que je trespasse
Avec ce bel espoux, la mort m'est une grace.
Car quel desir de vie, et quel contentement
Puis-je avoir en ce monde, où je suis en tourment ?

TALTHYBIE.

L'aspreur de ton desastre est cause que tu jettes
350 De ton esprit mal-sain ces menaces profettes,
Qui pourtant n'adviendront : Jupiter le grand Dieu

Ces desastres fera tomber en autre lieu.
Il favorise Atride, et d'Atride il prend cure,
Qui est son propre sang, et sa progeniture.

HECUBE.

355　Ma fille, leurs malheurs n'amoindrissent de rien
Les maux que nous portons.

CASSANDRE.

　　　　　　　　Ils nous consolent bien.

HECUBE.

Ils n'egalent en rien nos miseres fatales.

CASSANDRE.

Les miseres des Grecs sont aux nostres egales.

HECUBE.

Quand nous n'aurions souffert que ce siege outrageant.

CASSANDRE.

360　Ils n'ont pas moins souffert que nous, en assiegeant.

HECUBE.

Nos murs sont engloutis de flammes vagabondes.

CASSANDRE.

Leurs vaisseaux periront engloutis par les ondes.

HECUBE.

Nous avons veu mourir nos maris devant nous.

CASSANDRE.

Leurs femmes n'ont pas moins perdu leurs chers espous.

HECUBE.

365   Depuis dix ans entiers nous n'avons fait que plaindre.

CASSANDRE.

Depuis dix ans entiers elles n'ont fait que craindre.

HECUBE.

Nos peuples sont destruits.

CASSANDRE.

Leurs peuples sont ainsi.

HECUBE.

Mon Hector est occis.

CASSANDRE.

Achile l'est aussi.

HECUBE.

Priam entre mes mains a sanglant rendu l'ame.

CASSANDRE.

370   Agamemnon mourra par les mains de sa femme.

HECUBE.

J'ay versé dessur luy tant d'humeur de mes yeux.

CASSANDRE.

Elle ne versera que mots injurieux.

HECUBE.

Nostre Hymen est dissout par ce dur homicide.

CASSANDRE.

La mort d'Agamemnon marira Tyndaride.
375 Non, Madame, croyez, le mal continuel
Des Grecs est cent fois plus que le nostre cruel.
Les Grecs, pour recouvrer une femme lascive,
Mille naus ont remply de la jeunesse Argive,
Mille naus ont conduit devant une cité,
380 Qui leur a par dix ans, à leur dam resisté :
Combien la peste noire aux ailes sommeilleuses
En a fait devaler aux ondes Stygieuses ?
Combien le bruyant Mars ? et combien de Neptun
En fera trebucher le courroux importun ?
385 Puis ceux qui perissoyent autour de nos murailles
Avec l'ame perdoyent l'honneur des funerailles,
Loingtains de leurs maisons, et n'avoyent autour d'eux
Leurs femmes, lamentans sur leurs corps hasardeux,
Qui les tinssent mourans, devestissent leurs armes,
390 Et ne pouvant parler, sanglottassent des larmes,
Leur composant les yeux, les baisant, embrassant,
Et leur fuyant esprit des lévres ramassant.

LE CHŒUR.

Encores la pluspart privez de sepulture
Aux oiseaux charongners ont fourni de pasture :
395 Ou si de quelque amy le charitable soin
A leurs corps inhumez, c'est de leur terre loin,
C'est loin de leur famille, et des tombes moiteuses
Où sont de leurs ayeux les reliques poudreuses.

CASSANDRE.

Les Troyens au contraire armez pour leur pays,
400 Leurs temples, leurs enfans par les Grecs envahis,
Ont dix ans combatu, dix ans entiers, et ore
Sans la fraude Argolique ils combatroyent encore.

Et quel plus grand honneur sçauroit-on acquerir
Que sa douce patrie au besoin secourir ?
405 Se hazarder pour elle, et courageux respandre
Tout ce qu'on a de sang, pour sa cause defendre ?
» Toute guerre est cruelle, et personne ne doit
» L'entreprendre jamais, sinon avecques droit :
» Mais si pour sa defense et juste et necessaire
410 » Par les armes il faut repousser l'adversaire,
» C'est honneur de mourir la pique dans le poing
» Pour sa ville, et l'avoir de sa vertu tesmoing.
  Si le nerveux Hector, de Bellonne le foudre,
Ne fust mort combattant sur la Troyenne poudre,
415 Des Gregeois assailly : si Paris, et tous ceux
Que cette terre mere en ses flancs a receus,
Gisans dessus l'arene, abbatus par les armes,
Pour nous vouloir sauver des Dolopes gendarmes :
Bref, si la caute Grece à nos ports n'eust ancré
420 Pour les murs d'Ilion renverser à son gré,
Nostre nom fust sans gloire, et nos belles loüanges,
Mortes, n'eussent passé jusqu'aux terres estranges :
Le nom fameux d'Hector au tombeau fust esteint,
Et n'eust vaguant par l'air aux estoiles atteint.

TALTHYBIE.

425 Mets fin à tes propos, ô Vierge, et ne dedagne
D'estre d'Agamemnon l'amoureuse compagne.
Allons, il nous attend.

CASSANDRE.

                Allons, Heraut, allon
Il me convient quitter les lauriers d'Apollon.
Adieu, Patarean, ton service je laisse,
430 Agamemnon de force emmeine ta Prestresse.

3

Adieu, chere patrie, Adieu Madame, adieu,
Adieu, mes sœurs, et vous qui dormez en ce lieu,
Mes freres, inhumez dans les sepulchres sombres,
Non plus freres, helas ! mais seulement des ombres,
435 Vous me verrez bien tost, bien tost vous me verrez
Sur les rivages noirs, où palles vous errez,
Poussant avecques moy le Roy des Argolides,
Et sa race infectant d'infames parricides.

Hecube.

Adieu ma fille, adieu. Je nen puis plus, je meurs,
440 Parque, tranche ma vie, et m'oste ces douleurs.
Hà hà.

Le Chœur.

Madame, helas ! Madame. Elle est pasmee,
Elle est sans sentiment, sa voix est enfermee :
Portons-la dans sa tente, et ne la laissons point
En ce mal angoisseux qui son ame repoint.

CHŒUR.

445 Que maudit soit cent mille fois
L'execrable Cheval de bois,
Que l'ennemi pour nous tromper
Laissa, feignant de decamper.

Plus haut il elevoit le front
450 Que le chef elevé d'un mont :
Et dans ses flancs logeoyent armez
De gros escadrons enfermez.

Nous, trop lourdement abusez
Des fraudes des Gregeois rusez,
455   Sortons à foule, desireux
De voir ce Cheval malheureux.

Les Prestres, le front entournez
De chapeaux de fleurs bien ornez,
Parez de leurs vestemens saints,
460   La branche d'Olive en leurs mains,

Accoururent pour recevoir
Ce Cheval fait pour decevoir,
Commandant au peuple excité
Qu'on le tirast dans la cité.

465   Nul vieillard tant fust decrepit,
Et nul enfant tant fust petit,
Demeura dans la ville alors,
Ains chacun s'elança dehors.

Les uns y portans des flambeaux,
470   Des fleurettes, ou des rameaux,
Loüoyent de chants devotieux
Ce colosse fallacieux.

Nos portaux nous mettons à bas
Renversez de nos propres bras
475   Pour le faire en la ville entrer
Et à Minerve le monstrer.

Ce pendant le jour se lassa,
Et dedans la mer s'abaissa,
Fondant sous l'estoileuse nuit,
480   Qui d'un pas tenebreux le suit.

Lors plus allaigres nous dansons,
L'air resonne de nos chansons,
Et des doux accords d'instrumens :
Tout est remply d'esbatemens.

485 Après tant de joyeux esbats
Surviennent les joyeux repas :
Tout chacun se plonge en festins,
Pleins d'allaigresses et de vins.

Puis le sommeil delicieux
490 Se vint heberger en nos yeux,
Nos membres appesantissant,
Et nos travaux assoupissant.

Desja tout estoit en recoy,
Et desja le Silence coy,
495 Qui marche avecques piez laineux,
Vaguoit par les quartiers vineux.

Nous reposions ensevelis
De vin et sommeil, en nos lits,
Confortant nos esprits lassez
500 Et nos corps des labeurs passez :

Quand un bruit affreux de soudars
Fut entendu de toutes pars,
Et les trompettes et les cris
Des pauvres Dardanes surpris.

505 Lors chacun s'éveille en sursaut,
Et de son lict effroyé saut :
Nos maris courent estonnez
A leurs harnois abandonnez.

Et nous leurs espouses, hurlant,
510 Les allons baisant, accolant,
Des bras nous leur serrons le corps
De crainte qu'ils sortent dehors.

Nos petits enfans esperdus
En chemise, les bras tendus,
515 Ainsi se reclament à nous :
Hé, ma mere, nous lairrez-vous ?

Nous prennent de leurs doigts menus
Ou les cuisses, ou les piez nus,
Imitant nos cris redoublez
520 De leurs cris tendres et foiblez.

Tandis les ennemis ardans
Mettent les portes au dedans,
Meurtrissent d'un bras impiteux
Ce qui se trouve devant eux.

525 Et ne ressortent des logis
Que leurs glaives ne soyent rougis
Du sang de nos pauvres espous,
Qu'ils massacrent auprès de nous.

Nos enfans d'une dure main
530 Sont arrachez de nostre sein,
Avecques pareil creve-cœur
Qu'en nous arrachant nostre cœur.

Et nous, nos espoux embrassant,
Qui vont à nos yeux trespassant,
535 Avec eux au sang nous souillons
Qui sort de leurs corps par boüillons.

Mais ces Grecs par inimitié
Les mourables foulant du pié,
Nous vont troublant en nos regretz,
540   Et trainent à val les degrez.

Les coups nous tombent sur le dos
Aussi drus que vont les sanglots,
Nostre parolle entrecoupant,
Et nostre gosier estoupant.

545   Aussi tost nous voyons en l'ær
Mille flammes estinceller,
Dessus les maisons bourdonnant,
Et nos saints temples moissonnant.

O nuit, ô lamentable nuit,
550   Qu'une Tisiphone a produit !
O nuit toute comble d'horreur,
De sang, de braise et de fureur !

De toy jamais à l'advenir
Ne me puissé-je souvenir,
555   A fin que ton image faux
Ne face rengreger mes maux.

ACTE II.

ANDROMACHE. HELEN. ULYSSE. LE CHŒUR.
ASTYANAX.

ANDROMACHE.

Pourquoy, Troyenne tourbe, avecques mains sanglantes
Arrachez-vous ainsi vos tresses blondissantes ?
Pourquoy vostre estomach allez-vous travaillant,
560   Et d'un ruisseau de pleurs son albâtre mouillant ?
N'avons-nous enduré toutes choses cruelles ?
Qu'est-ce qui nous survient digne de pleurs nouvelles ?
Troye depuis n'aguere est destruitte pour vous,
Mais pour moy dés le temps que mourut mon espoux.
565   Quand le char inhumain du Pelian Achille
Traina le corps d'Hector trois fois devant la ville,
Que du fardeau pesant tout l'essieu gemissoit,
Et contre les cailloux sa teste bondissoit,
Qu'il traçoit le chemin d'une saigneuse suitte,
570   Alors, ô pauvre ! alors, Troye me fut destruitte !
Alors je perdy tout, et me veis arracher
Par le sort impiteux ce que j'avois de cher :
Je souffry tous les maux qu'on endure en sa vie,
Et le sac d'Ilion qui me rend asservie,
575   A mes extremes maux ne m'a rien adjousté

Que la seule douleur de ma captivité.
    Encor je prevy lors la Troyenne ruine,
Je prevy que bien tost nous serions la rapine
Des Gregeois indomtez, n'ayant plus le support
580 D'Hector, nostre defense encontre leur effort :
Alors donc je ploray, non d'Hector l'infortune,
Mais au trespas d'Hector la ruine commune.
Car dés lors me sembla publique nostre dueil,
Et le cercueil d'Hector de Troye le cercueil.
585   Depuis j'ay respandu des larmes continues,
Depuis, mille soupirs j'ay poussé dans les nues,
J'ay fait mille regrets, et le Soleil doré
M'a depuis miserable, ennuyeux, esclairé.
Mon ame s'est depuis de tristesses repeuë,
590 Sejournant à regret sous la grand'voûte bleuë :
Et tousjours un penser, un souvenir tousjours
De sa mort fait en moy son cours et son recours :
J'y repense sans cesse, et l'heure retardee
De mon futur trespas est toute en son idee.
595 Sans cesse je le voy, tel que le vieil Priam
L'amena racheté des mains du Pelian,
Quand palle et sans couleur, despouillé de son ame,
Je le tins en mes bras (en y pensant je pasme !)
Et que sa chere teste en mon giron penchoit,
600 Et dessus luy mon œil mille pleurs espanchoit :
Qu'ainsi j'allois disant (il m'en souvient encore,
Car ces propos sans cesse en moy je rememore)
    Mon cher espoux, ma vie, helas ! vous me laissez,
Et la mort outrageuse a vos jours avancez :
605 Vous sortez de ce monde au milieu de vostre âge,
Et avec vostre fils je demeure en veufvage :
Vostre mort est la nostre, et Troye qu'on enclost
De tant de bataillons, sera prise bien tost.
Vous estiez son rampart, son appuy. sa defense,

610 Seul à nos ennemis vous faisiez resistance :
Les femmes vous gardiez, et les enfans petits
De la fureur des Grecs, qui les prendront captifs,
Et nous emmeneront dans leurs navires caves
Pour nous vendre, ou tenir en leurs maisons, esclaves.
615 Nostre enfant servira, si du cruel trespas
Je le puis garantir, ce que je n'attens pas.
Car quelqu'un pour venger ou son fils, ou son pere,
Que vous avez occis au combat sanguinaire,
Ou son frere germain, d'une tour le rûra,
620 Ou, pendant à mon col, d'un poignard le tûra.
    Las ! Hector, sans me voir, la vie avez perdue,
Et ne m'avez mourant vostre dextre tendue,
Ne m'avez consolee, et d'un sage discours
Mon esprit conforté, qu'il retiendroit tousjours :
625 Ains m'avez seulement laissé de la tristesse,
Des pleurs, et des sanglots, que je verse sans cesse.
    Tels propos je luy tins son visage baisant,
Et de mes tiedes pleurs, dolente, l'arrosant.
Je l'eusse ja suivi, des Gregeois arrachee,
630 Si ce petit enfant ne m'en eust empeschee,
Il me contraint de vivre, et requerir les Dieux,
Bien que sourds à ma voix, d'en estre soucieux.
Il me prive du fruit de ma misere mesme,
De ne craindre plus rien en malheur si extréme.
635 Las ! je tremble de crainte, et n'espere aucun bien.
» O grand malheur de craindre et de n'esperer rien !

HELEN.

Quelle tremblante peur descend en vos moüelles ?

ANDROMACHE.

On dit que des Enfers les portes eternelles
S'ouvrent, et qu'aux tombeaux nos ennemis gisans

640 Revivent derechef pour nous estre nuisans.
Ceste funebre crainte est à chacun egale,
Et ne sçait-on encor sur qui l'effet devale :
Mais un horrible songe espouvante mon cœur.

HELEN.

Quels songes desastreux vous trament ceste peur ?

ANDROMACHE.

645 Desja la nuit ombreuse estoit demy passee,
Et du Bouvier tardif la charrue abaissee,
Quand le somme flateux, mes langueurs assommant,
Apparoistre me fit mon Hector en dormant,
Non comme foudroyant les Argives armees
650 Lors qu'il lançoit ses feux dans leurs naus enflammees :
Mais, lassé, miserable, abbatu, deformé,
Le chef couvert de crasse et en pleurs consommé.
   Esveillez-vous, dist-il, esveillez-vous, m'amie,
Repoussez le sommeil de vostre ame endormie :
655 Levez-vous vistement, ma chere ame, et cachez
Nostre petit enfant, hastez-vous, depeschez,
Destournez quelque part l'espoir de nostre race.
   Lors je transi de peur : une soudaine glace
S'escoula dans mes os, mon somme s'envolla,
660 Et mes yeux vagabonds je tournay çà et là,
Recherchant mon Hector, de mon fils oublieuse,
Mais soudain disparut l'ombre fallacieuse.
   O mon fils engendré d'un pere genereux,
L'unique reconfort des Troyens malheureux,
665 Le germe d'une race antique et venerable,
Qu'à vostre geniteur vous estes bien semblable !
Tel, tel Hector estoit, il avoit un tel port,
Il demarchoit ainsi, il estoit ainsi fort
D'espaules et de bras, semblable estoit sa grace,

670 Il portoit ainsi haut sa belliqueuse face.
    O mon fils, mon cher fils, verray-je point le jour
Que, reparant l'honneur de ce natal sejour,
Vous redressez les tours et les palais antiques
Du flambant Ilion, les Pergames Troïques ?

675 Verray-je point le temps que nos peuples espars
Vous r'assemblez, leur Roy, dedans nouveaux rempars,
Que la gloire et le nom ressusciter je voye
Par vos armes, mon fils, d'une nouvelle Troye ?
    Mais, ô chetive femme ! où vaguent tes esprits ?

680 Où errent tes pensers ? quelle fureur t'a pris ?
Tu songes des palais, des tours, des diadémes,
Et ne commandons pas seulement à nous mesmes.
Nostre vie est en doute, ô mon fils, et je crains
Qu'à ceste heure, à ceste heure on t'oste de mes mains.

685   Où te pourray-je mettre ? helas ! quelle cachette
Pour sauver mon enfant me sera bien secrette ?
Ceste ville orgueilleuse, abondante en tous biens,
Dont les Dieux ont basti les beaux murs anciens,
Fameuse par le monde, ore n'est qu'une poudre,

690 Où les Dieux courroucez l'ont toute fait resoudre :
Si que d'une cité jadis si trionfant
Seulement il ne reste où cacher un enfant.

    Le sepulchre est icy, que Priam fist construire
Pour les manes d'Hector, on ne l'ose destruire,

695 L'ennemy le revere, et a peur d'y toucher,
Il me faut là mon fils Astyanax cacher.
Et quel lieu luy sçauroit estre plus salutaire ?
Qui pourra mieux garder un enfant que le pere ?
Las ! le poil me herisse, et j'ay le cœur tout froid

700 Pour l'effroyable abord de ce funebre endroit.

HELEN.

Plusieurs se sont sauvez d'une mort poursuivie,
Se feignans estre morts, bien qu'ils fussent en vie.

ANDROMACHE.

J'ay crainte que quelqu'un me voise deceler.

HELEN.

N'ayez aucuns tesmoins qui en puissent parler.

ANDROMACHE.

705　　Si lon me le demande, helas ! qu'auray-je à dire ?

HELEN.

Vous direz qu'on l'a peu au sac de Troye occire.

ANDROMACHE.

Et que nous servira de feindre qu'il soit mort ?

HELEN.

Pour sa vie asseurer de l'adversaire effort.

ANDROMACHE.

Il ne peut long temps estre en ceste tombe obscure.

HELEN.

710　　Des vainqueurs ennemis le colere ne dure.

ANDROMACHE.

Il me sera tousjours en pareille terreur.

HELEN.

Il ne faut qu'eviter la premiere fureur.

ANDROMACHE.

Las, je ne sçay que faire ! Or à toute avanture
Allons, mon doux soucy, dans ceste sepulture.
715   Dieux, si quelque pitié vos courages repaist,
Si l'amour maternelle à vos yeux ne desplaist,
Et si des Phrygiens les supremes miseres
Ont de vos deïtez amorti les coleres,
Helas ! pardonnez-nous, et pardonnez à ceux
720 A qui ont pardonné les glaives et les feux :
Ou si tant de malheurs n'ont peu vous satisfaire,
Conservez cet enfant et meurtrissez la mere.
    Toy, toy, vaillant Hector, qui les tiens as tousjours
Des Gregeois defendus, vien nous donner secours :
725 Garde le cher larcin de ta femme piteuse,
Et sauve ton enfant en ta tombe cendreuse.
    Or entrez, mon enfant, demeurez là dessous,
C'est pour vostre salut. Pourquoy reculez-vous ?
Pourquoy refuyez-vous ? vostre ame genereuse
730 Dedaigne volontiers ceste cache honteuse,
Il vous fasche de craindre : helas ! mon cher souci,
Ce n'est à faire à nous de lever le sourci.
 » Le malheur nous accable : il faut que le courage
 » Nous croisse et nous decroisse avec le sort volage,
735 » Et suivre la saison. Sus donc, entrez dispos
Au creux de ce tombeau, d'Hector le saint repos.
Là, si des immortels la haine est assouvie,
Et leur plaist nous aider, vous sauvez vostre vie :
Que si le malheur dure et veut que vous mourez,
740 Dans ce larval sepulchre un tombeau vous aurez.

HELEN.

Retirez-vous soudain, voicy venir Ulysse :
Il ourdist contre nous quelque enorme malice.

ANDROMACHE.

Que la terre ne s'ouvre, et l'Enfer ne se fend
Pour enclorre en son sein le corps de mon enfant !
745 Sus, Hector, leve toy, fay separer la terre
Dessous Astyanax, puis soudain la resserre.
Voicy nostre ennemi, le Troïque flambeau :
Dieux, chassez telle horreur bien loin de ce tombeau.

ULYSSE.

Nos vaisseaux sont tous prests de laisser le rivage,
750 Mais un seul poinct retient des Grecs le navigage.

ANDROMACHE.

Le vent ne souffle à gré ?

ULYSSE.

La mer est calme assez.

ANDROMACHE.

Les soldats espandus ne sont tous ramassez ?

ULYSSE.

Ils sont dedans les naus prests de mouvoir les rames.

ANDROMACHE.

Que ne laissez-vous donc ces rivages infames ?

ULYSSE.

755 Nous craignons.

ANDROMACHE.

Las ! et quoy ? que craignez-vous encor ?
Sont-ce les os de Troye, ou les cendres d'Hector ?

ULYSSE.

Nous redoutons sa race.

ANDROMACHE.

Helas, elle est esteinte !

ULYSSE.

Si en avons-nous peur.

ANDROMACHE.

O la gentille crainte !

ULYSSE.

Tandis qu'Hector vivra dans le sang de son fils,
60 Nous recraindrons tousjours les Troyens déconfits :
Tousjours nous semblera que le malheur renaisse,
Qu'une flotte Troyenne aborde dans la Grece,
Qui nous vienne darder de Troye les tisons,
Et en face embraser les Argives maisons.
65 Ce menaçant danger panchera sur nos testes
Tandis que les Troyens pourront lever les crestes,
Et que le fils restant d'un si grand belliqueur,
Comme estoit vostre Hector, leur haussera le cœur.

ANDROMACHE.

Est-ce vostre Calchas, qui ces frayeurs vous donne ?

ULYSSE.

70 Quand il n'en diroit rien, un chacun le raisonne.

ANDROMACHE.

Redouter un enfant ?

ULYSSE.

Un enfant heritier
Des sceptres et vertus d'un Prince si guerrier.

ANDROMACHE.

En un âge si tendre ?

ULYSSE.

Il est tendre à ceste heure :
Mais tousjours en son âge un enfant ne demeure.
775 Ainsi l'enfant foiblet d'un Taureau mugissant,
A qui ne sont encor les cornes paroissant,
Incontinent accreu d'âge et force, commande
Au haras ancien, sa paternelle bande.

Ainsi d'un tronc de Chesne un scion renaissant,
780 Qui va dans un hallier imbecile croissant,
Egal en peu de temps de hauteur à son pere,
Eleve dans le Ciel sa teste bocagere.

Ainsi d'un grand brasier qu'on pensoit amorti,
Un simple mecheron, de la cendre sorti,
785 Dans la paille s'accroist, si que telle scintille
En peu d'heures pourra devorer une ville.

ANDROMACHE.

N'ayez crainte de luy, nostre malheur cruel
Luy a filé bien jeune un trespas casuel :
Bien jeune devalé dans l'infernal abysme,
790 Il est allé revoir son pere magnanime,
Le pauvret, et encor il n'a sepulchre aucun,
Si Troye ne luy sert de sepulchre commun.

N'ayez peur que jamais vos enfans il effroye,
Qu'il repare jamais les ruïnes de Troye,
795 Qu'il bastisse un royaume en ces bords desertez,
Et rassemble en un corps les Troyens escartez.
N'ayez peur, n'ayez peur qu'à vostre mal il croisse,
Et qu'au rivage Grec jamais il apparoisse
Conducteur d'une armee, à fin de se venger,
800 Que Mycenes il aille ou Argos assieger.

ULYSSE.

Je sçay que la pitié, la pitié maternelle
Vous peut faire trouver ma demande cruelle :
Mais si considerez, vuide de passion,
Combien sa vie importe à nostre nation,
805   Combien le Grec soudard, chenu dessous les armes,
A crainte de rentrer en nouvelles allarmes,
Franchir nouveaux dangers, après avoir le sein
Par tant de durs combats de mille ulceres plein,
Vous mesme excuserez cet acte necessaire,
810   Et ne m'estimerez pour cela sanguinaire.
Je ferois le semblable envers mon propre fils,
Et jadis le semblable, Agamemnon, tu fis,
Livrant ton Iphigene à Diane homicide,
Pour sauver nos vaisseaux retenus en Aulide.
815   Ne trouvez donc estrange et dur ce que je dis,
Puis que ce Roy vainqueur l'a bien souffert jadis.

ANDROMACHE.

Pleust à Dieu, mon enfant, que, ta mere, je sceusse
En quelle part tu es, et qu'avec toy je fusse :
Je sceusse par quel sort tu m'as esté ravi,
820   Si d'un maistre la main te retient asservi,
Si par les creux deserts, vagabondant, tu erres,
Ces plaines traversant, inhospitables terres.
Si la flamme rongearde a ton corps consommé,
Si des Palais tombans les toicts t'ont assommé,
825   Si le vainqueur cruel s'est joué de ta vie,
Ou si de toy les Ours ont leur faim assouvie,
A fin que le souci qui, douteuse, me mord,
S'allentist, entendant ou ta vie ou ta mort.

ULYSSE.

Laissez-là ces propos déguisez d'artifice,

4

830   Vous ne sçauriez tromper de paroles Ulysse.
Dites moy clairement, sans plus dissimuler,
Où est Astyanax, où se fait-il celer ?

ANDROMACHE.

Où est le preux Hector, où est Priam, Troïle ?
Où sont les Phrygiens, où Troye nostre ville ?

ULYSSE.

835   Dites-le de vous mesme, ou lon vous contraindra.

ANDROMACHE.

Que mon corps on torture ainsi que lon voudra.

ULYSSE.

Vous le confesserez après un long martyre.

ANDROMACHE.

Il n'est tourment si grand qui me le face dire.

ULYSSE.

Pourquoy retaisez-vous ce que vous sçavez bien ?

ANDROMACHE.

840   Pourquoy m'enquerez-vous ce dont je ne sçay rien ?

ULYSSE.

Il faudra tost ou tard, s'il vit, qu'il apparoisse.

ANDROMACHE.

Pourquoy voulez-vous donc me faire tant d'angoisse ?

ULYSSE.

Vous retardez l'armee ardante du retour.

ANDROMACHE.

Je ne suis nullement cause de son sejour.

ULYSSE.

845 Nous avons arresté ne quitter ceste terre
Que n'ayons arraché la racine de guerre,
Que n'ayons vostre fils. Le grand prestre Calchas
Nous defend de partir laissant Astyanas.
Où est-il ? delivrez-le : il le vous convient rendre.
850 Depeschez, hastez-vous, je ne puis plus attendre.

ANDROMACHE.

Je ne puis delivrer celuy que je n'ay pas.

ULYSSE.

On vous fera mourir d'un horrible trespas.

ANDROMACHE.

La mort est mon desir, si me voulez contraindre
Venez-moy menacer de chose plus à craindre,
855 Proposez-moy la vie.

ULYSSE.

Avec le feu sonnant,
Les cordes et les foüets on vous ira gesnant.
» Car l'extreme douleur est volontiers plus forte
» A contraindre quelqu'un, que l'amitié qu'il porte.

ANDROMACHE.

De fer rouge de feu traversez-moy le sein,
860 Versez dans ma poitrine et la soif et la faim,
Bourrelez-moy le corps de flammes rougissantes,
Faites-moy consommer en des prisons puantes,
Tenaillez, tirassez, tronçonnez-moy le corps,
Gesnez-moy de tourmens, donnez-moy mille morts :

865   Bref, ce qu'eurent jamais tous les tyrans d'envie
       Pour contenter leur rage, exercez sur ma vie.

ULYSSE.

     Que vous sert de celer ce qu'on sçaura bien tost ?
     Le naturel amour que vostre cœur enclost
     Bat en nostre poitrine, et, comme vous, nous presse
870   De vouloir conserver les enfans de la Grece.

ANDROMACHE.

     Sus, sus, donnons plaisir aux Grecs à ceste fois :
     Asseurons, asseurons malgré nous les Gregeois.
     Il me faut deceler la douleur qui me ronge,
     Rien ne sert à mon dueil le couvrir de mensonge,
875   Gregeois, ne tardez plus, desemparez le port,
     Ne redoutez plus rien, Astyanax est mort.

ULYSSE.

     Quel moyen avez-vous de nous le faire croire ?

ANDROMACHE.

     Puissé-je promptement choir sous la voûte noire,
     Que tout le malencontre et le cruel mechef
880   Qu'un ennemy souhaitte accravante mon chef,
     Si, avecques les morts, la tombe charongnere
     Ne le detient gisant privé de la lumiere.

ULYSSE.

     Puis que le fils d'Hector est de ce monde hors,
     Il ne faut plus douter de sortir de ces bords :
885   Les destins sont remplis, je porte la nouvelle
     Aux Gregeois soucieux, d'une paix eternelle.
       Comment, Ulysse ? et quoy ? veux-tu que les Danois
     Te croyent, ayant creu d'une femme la vois ?
     D'une mere piteuse ? est-il bien raisonnable

890   Qu'une mere au danger de son fils soit croyable ?
     Elle fait grands sermens, et ne craint de s'offrir
     A tous genres de mort : que peut-elle souffrir
     Pire que sa douleur ? craindroit-ell'le parjure
     Pour crainte de la mort que mourable elle adjure ?
895 » Celuy ne craindra point d'attester faussement
   » Les Dieux, qui leur courroux ne craint aucunement.
     Employons toute ruse, et ne portons le blasme
     D'avoir esté trompez des fraudes d'une femme.
     Voyons sa contenance : elle pleure, gemist,
900   Se tourne çà et là, la face luy blesmist,
     Elle cuide escouter, bref elle a plus de crainte
     Que son ame ne semble estre de dueil atteinte :
     Il faut icy veiller d'un esprit entendu.
       Quand quelqu'un, Andromache, a son enfant perdu,
905   On le va consolant de sa tristesse amere :
     Mais pour Astyanax, vous n'en avez que faire,
     Vous estes bien-heureuse, et le ferme destin
     Qui vous est si funebre, est en cela benin,
     Vous ayant delivré du plus grief infortune
910   Que jamais en ce monde ait porté mere aucune.
     On devoit vostre fils, tiré d'entre vos bras,
     Monter sur une tour et le rouër en bas.

ANDROMACHE.

     Bons Dieux ! le cœur me faut, je frissonne, je tremble,
     Une soudaine glace en mes veines s'assemble.

ULYSSE.

915   Elle a peur, c'est bon signe, il faut continuer :
     Je luy voy, je luy voy le visage muer,
     Tout va bien, poursuivons : la fremissante crainte
     De ceste pauvre mere a descouvert sa feinte,
     Il la faut augmenter. Sus, compagnons, après,

920 Empoignez, emmenez cest ennemy des Grecs,
   La peste et la poison des citez Argolides :
   Eventez, découvrez aux cavernes humides,
   Furetez, voyez tout, attrainez : il est pris.
   Pourquoy regardez-vous ? qui trouble vos esprits ?
925 La poitrine vous bat : si faut-il bien qu'il meure.

      ANDROMACHE.

   La frayeur qui me prend ne vient pas de ceste heure :
   Je suis de si long temps accoustumee à peur,
   Qu'à la moindre occurrence elle me coule au cœur.

      ULYSSE.

   Et bien, puis qu'il est mort, et que sa destinee
930 Ne permet accomplir nostre charge ordonnee,
   Calchas veut qu'en son lieu lon rompe ce tombeau,
   Et que d'Hector la cendre on espande dans l'eau :
   Qu'autrement nous n'aurons de retraitte asseuree
   Par les flots escumeux de la mer coleree
935 De tourmente battus, si de ce grand heros
   Elle n'a pour butin les cendres et les os :
   Puis donc que son fils mort nos esperances trompe,
   Il faut que ce tombeau presentement on rompe.

      ANDROMACHE.

   Hé Dieux, que ferons-nous ? mon esprit eslancé
940 De deux extremes peurs, chancelle balancé
   Sans sçavoir que resoudre : icy l'enfance chere
   De mon fils se presente, icy les os du pere.
   Las ! auquel doy-je entendre ? O Dieux des sombres nuits,
   Et vous, grands Dieux du ciel, autheurs de mes ennuis,
945 Et vous, Manes d'Hector, saintement je vous jure
   Que rien qu'Hector je n'aime en ceste creature :
   Je l'aime pour luy voir de sa face les traits,

Et pour ses membres voir des siens les vrais pourtraits.
  Que je tolere donc ? que permettre je puisse
950 Qu'on rompe ce tombeau ? que lon le demolisse ?
Que sa cendre on respande, et qu'on la jette au vent,
Ou aux flots de la mer qui ces bords vont lavant ?
Non, qu'il meure plustost. Mais las ! t'est-il possible
Le livrer, pour souffrir une mort si horrible ?
955 Pourras-tu voir son corps eslancé d'une tour
Piroüetter en l'air de maint et de maint tour :
Puis donnant sur un roc d'une cheute cruelle,
Se moudre, se broyer, s'écraser la cervelle ?
  Ouy, je le souffriray, et pire chose encor,
960 Si faire se pouvoit, plustost que voir Hector
Saquer de son sepulchre, arracher de la biere,
Et le faire avaler à l'onde mariniere.
  Mais quoy ? cestuy-là vit, cestuy-ci ne vit plus,
Insensible, impassible, en un tombeau reclus.
965 Helas ! donc que feray-je en chose si douteuse ?
Au contraire pourquoy branslé-je fluctueuse ?
Ingrate, et doutes-tu lequel des deux tu dois
Sauver de la fureur du cruel Itaquois ?
  Voici pas ton Hector qui au tombeau te prie ?
970 Mais voici son enfant qui du mesme lieu crie :
Tu dois de ton Hector avoir plus de souci,
Voire, mais cet enfant est mon Hector aussi.
Or donc, ne les pouvant tous deux garder d'outrage,
Sauve celuy des deux qu'ils craignent d'avantage.

ULYSSE.

975 Je veux faire accomplir la volonté des Dieux,
Je feray renverser ce sepulchre odieux.

ANDROMACHE.

Un ouvrage sacré ?

ULYSSE.

Je verseray par terre
Les cendres et les os de celuy qu'il enserre.

ANDROMACHE.

Les reliques d'Hector que vous avez vendu ?

ULYSSE.

980   Il ne restera rien qui ne soit respandu.

ANDROMACHE.

J'invoque des grands Dieux la dextre foudroyante.

ULYSSE.

Vous verrez dégraver ceste tombe relante.

ANDROMACHE.

Rompre des monumens qu'en la plus grand'fureur
De l'esclandre Troyen vous eustes en horreur ?
985   Je ne le souffriray, je feray resistance,
Le juste desespoir m'accroistra la puissance :
Telle qu'une Amazone, au milieu de vos dars
J'iray bouleversant les troupes de soudars,
Je combatray, guerriere, et mourray pour defendre
990   De mon defunct espoux la sepulchrale cendre.

ULYSSE.

Depeschez, Compagnons, lairrez-vous, pour les cris
D'une femme, à parfaire un ouvrage entrepris ?

ANDROMACHE.

Meurtrissez-moy, mechans, plustost que je le souffre.
Sors, Hector, leve toy du Plutonique gouffre,
995   Vien defendre ton corps de ce Laërtien,
Ton ombre suffira.

ULYSSE.

Qu'il ne demeure rien,
Abbatez, rasez tout.

ANDROMACHE.

Las, pauvrette, je tremble !
Ils vont perdre le pere et l'enfant tout ensemble :
L'horrible pesanteur des pierres le broira,
1000   Le pere trespassé son enfant meurtrira.

Or donc face le Ciel son vouloir sanguinaire,
Se soulent les destins, je ne puis plus que faire.
Si les Dieux inhumains ne sont encores souls
De nos calamitez, qu'ils nous meurtrissent tous :
1005   Que de cet enfançon ils tirent les entrailles,
Et, rouges de son sang, en battent les murailles,
Escarbouillent son chef contre un rocher froissé,
Pourveu que de son pere il ne soit oppressé.
Peut-estre esmouvras-tu des Gregeois le courage,
1010   Pour n'estre si boüillans au sang et au carnage,
Tu n'as autre recours : sus donc, prosterne-toy
Devant ton ennemy pitoyable de soy.

Ulysse, bon Ulysse, ores vos piés j'embrasse,
Qui fus d'un Roy l'espouse, et de royale race :
1015   Ces mains aux piés d'aucun ne toucherent jamais,
Et n'esperent encore y toucher desormais :
Prenez pitié de moy mere tres-miserable,
Recevez mes soupirs, soyez-moy pitoyable.
Et d'autant que les Dieux vous elevent bien haut,
1020   Soyez benin à ceux que le malheur assaut :
Estimant que du sort la main est variable,
Qui vous peut, comme à nous, estre un jour dommageable.

Ainsi le bleu Neptun vous prospere au retour,
Et vous face bien tost revoir le chaste amour
1025   De vostre Penelope : ainsi vostre venuë

Deride de Laert la vieillesse chenuë,
Et le Ciel puisse ainsi Telemaq' conserver,
Et plus qu'ayeul, que pere, en honneur l'elever.
Usez vers moy de grace : hé que mon fils ne meure,
1030   Que pour mon reconfort, helas ! il me demeure.
        J'ay perdu pere et mere, et freres et mari,
Royaumes, libertez, tout mon bien est peri :
Rien ne m'est demeuré que ceste petite ame,
Que j'avois arraché de la Troyenne flame.
1035   Laissez-le moy, Ulysse, et qu'il serve avec moy.
Hé peut-on refuser le service d'un Roy ?

                    ULYSSE.

Faites-le donc venir.

                    ANDROMACHE.

                        Sortez, ma chere cure,
Sortez, chetif enfant, de ceste sepulture.
Voyla que c'est, Ulysse : et n'est-ce pas dequoy,
1040   Dequoy mettre aujourdhuy mille naus en effroy ?
Sus, jettez-vous à terre, et de vos mains foiblettes
Embrassez ses genous, songez ce que vous estes :
Demandez qu'il vous sauve, il est vostre seigneur,
N'en faites pas refus, ce n'est point deshonneur.
1045   Oubliez vostre ayeul, son sceptre et diadéme,
Oubliez vos majeurs, et vostre pere mesme,
Portez-vous en esclave, et humble à deux genous
Suppliez-le qu'il ait quelque pitié de vous :
Arrosez de vos pleurs sa dextre vainqueresse,
1050   Ainsi que moy chetive, et la baisez sans cesse.

                    ULYSSE.

Les pleurs de ceste mere attendrissent mon cœur,
Mais d'un autre costé cet enfant me fait peur,

Qui est fils d'un tel pere, et qui pourra, peut estre,
Revengeant son pays, de nous se faire maistre :
55 Et plonger en douleurs, en larmes et regrets,
Un jour qu'il sera grand, les familles des Grecs.

ANDROMACHE.

Quoy ? ces floüettes mains, ces deux mains enfantines
Pourront bien restaurer les Troyennes ruines ?
Pourront bien redresser les murs audacieux
60 Du cendreux Ilion, que bastirent les Dieux ?
Vrayment si d'autre espoir Troye n'est soustenue
Que de ce beau guerrier, son attente est bien nue !
Nous ne sommes, helas ! en estat de pouvoir
Fascher jamais autry, bien qu'en eussions vouloir.

ULYSSE.

65 Je vous le laisserois, je n'ay l'ame si dure,
Mais il faut de Calchas suivre le saint augure.

ANDROMACHE.

O parjure, mechant, desloyal, affronteur,
Cauteleux, desguisé, de fraudes inventeur,
Tu masques ton forfait, tu couvres ta malice
70 D'un Prophete et des Dieux qui detestent ton vice.

ULYSSE.

Allons, je n'ay loisir de contester long temps,
Et en si vains propos despenser mal le temps.

ANDROMACHE.

Permets à tout le moins que le dernier office
Je luy face, sa mere, et qu'adieu je luy disse :
75 Permets, permets qu'aumoins je le puisse embrasser,
Et plorer dessus luy devant que trespasser.

ULYSSE.

Je voudrois volontiers à vos pleurs satisfaire,
Je voudrois vous aider, mais je ne le puis faire :
Tout ce qu'ore je puis c'est vous donner loisir
1080 De faire vos regrets selon vostre desir.
» La douleur que lon pleure est beaucoup allegee.

ANDROMACHE.

O le seul reconfort de ta mere affligee !
O lustre de l'Asie ! ô l'espoir des Troyens !
O sang Hectorean ! ô peur des Argiens !
1085 O esperance vaine ! ô enfant deplorable !
Que je m'attendois voir à mon Hector semblable
En faits chevaleureux, et te voir quelque jour
Au throsne de Priam tenir icy ta cour.
Las ! cest espoir est vain, et ta royale dextre
1090 Jamais ne portera de tes ayeulx le sceptre :
Tu ne rendras justice à tes peuples soumis
Et ne subjugueras tes voisins ennemis :
Tu n'iras moissonner les Gregeoises phalanges,
Tu n'iras de ton pere egaler les louanges,
1095 Tu ne meurtriras Pyrrhe, et, trainé par trois fois,
Ne luy feras racler le Troïque gravois.
Jeune tu ne feras exercice des armes,
Tu n'iras travailler d'ordinaires allarmes
Les bestes des forests, affrontant animeux,
1100 L'espee dans le poing, un Sanglier escumeux,
Un grand Ours Idean, ou de carriere viste
Tu ne suivras d'un Cerf l'infatigable fuite.
O cruauté de mort ! nos murs verront helas
Un spectacle plus dur que d'Hector le trespas !

ULYSSE.

1105 Mettez fin à vos pleurs, trop long temps je demeure.

ANDROMACHE.

Permettez moy, pour Dieu, que mon enfant je pleure,
Que je le baise encore : ô mon mignon, tu meurs
Et me laisses, pauvret, pour languir en douleurs.
Las ! tu es bien petit, mais ja tu donnes crainte.
10   Or va, mon cher soleil, et porte ceste plainte
Aux saints Manes d'Hector, ja la main il te tend,
Et sur les tristes bords toute Troye t'attend.
Mais devant que partir que je te baise encore,
Que ce dernier baiser gloutonne je devore.
15   Or adieu ma chere ame.

ASTYANAX.

Hé ma mere.

ANDROMACHE.

Pourquoy,
Pourquoy, pauvret, en vain reclamez-vous à moy ?
Pourquoy me tenez-vous ?

ASTYANAX.

Hé, ma mere, il m'emmeine.

ANDROMACHE.

Je ne vous puis aider, ma resistance est vaine.

ASTYANAX.

Helas ! ma mere, helas ! me lairrez-vous tuer ?

ANDROMACHE.

20   Ah, que j'ay de douleur ! je veux m'esvertuer,
Je veux mourir pour luy : mais de quelle defense
Serviront mes efforts ? je n'ay point de puissance.
Ils vous prendront de force, ainsi qu'en un troupeau
Lon voit un grand Lyon prendre un jeune Toreau

1125 Près les flancs de sa mere, et l'emporter d'audace,
Quoy que pour le sauver son possible elle face.
          Prenez donques en gré d'un magnanime cœur
De vostre cruel sort l'implacable rigueur,
Mon enfant, mon amour, prenez en patience
1130 La mort qui vient trancher le fil de vostre enfance.
Helas ! et recevez, pour mes supremes vœux,
Ces larmes, ces baisers, ce toufeau de cheveux
Que j'arrache pour vous, tirant de mes entrailles
Mille pleureux sanglots, vos tristes funerailles.

ULYSSE.

1135 Ces pleurs n'ont point de fin, prenez-le vistement,
Il est de nos vaisseaux le seul retardement.

CHŒUR.

O Mer, qui de flots raboteux
Esbranlez vos ondes poussees
Comme il plaist aux vents tempesteux,
1140 Guides des navires poissees,
Où transporter nous voulez-vous,
Loin de nos rives delaissees
Et de nostre terroir si dous ?

Sera-ce aux monts ombrageux
1145 De Thessalie, où Penee
Par les vallons herbageux
Fait une course obstinee ?
Où de Tempé les tiedeurs
D'une fleureuse halenee
1150 Le Ciel parfument d'odeurs ?

Sera-ce où les colereux flots
Tourmentent Trachin la pierreuse
Et les hauts rochers d'Iolchos ?
Ou en la Crete populeuse ?
155 En l'Etolienne Pleuros ?
Ou en Trice l'infructueuse ?
Ou la Pelopienne Argos ?

Sera-ce point en ce lieu,
En ceste isle rechantee,
160 Où jadis nasquit un Dieu
D'une jumelle portee :
Quand l'amour de Jupiter
Latone ayant surmontee
La fist en Dele enfanter ?

165 Il ne nous chaut en quelle part
L'escumeuse mer nous écarte,
Nous supporterons tout hazard
Pourveu que ce ne soit en Sparte.
Qu'en tous autres lieux qu'on voudra
170 L'on nous espande et nous departe,
Toute terre à gré nous viendra.

Mais puisse plustost la mort
Nous couvrir sous ceste arene
Que nous approchions du port
175 De l'abominable Helene :
Qui pour nourrir les chaleurs
De sa volonté vilaine,
Nous a filé nos malheurs.

Dés lors nostre mechant destin
180 Brassoit nos futures miseres,

Quand Paris bûchoit le sapin
Pour bastir des naves legeres
Sur Ide, qui en gemissoit
En longues plaintes bocageres
1185   Dont tout le bord retentissoit.

Si ces naus n'eussent esté,
Paris n'eust la mer tentee :
Si la mer il n'eust tenté,
Il n'eust Sparte visitee :
1190   Si Sparte il n'eust visité,
Il eust Helene evitee,
Peste de nostre Cité.

Ainsi par la faute d'un seul
Nous sommes en pleurs continues :
1195   Nos ames de continu deul
Ont esté depuis soustenues,
Pour nos longues calamitez
En la terre et au ciel connues
Aux hommes et aux deïtez.

1200   Les Gregeoises nations
Ne sont de nos maux exemptes,
Et nos mesmes passions
Leurs femmes souffrent dolentes :
Perdant par mesme Paris
1205   Et par mesme Helene, absentes,
Leurs enfans et leurs maris.

» Que bien vray le chantre sacré,
» Fils de la belle Calliope,
» A dit, pinçant son Lut sucré
1210   » Sur la Thracienne Rhodope,

» Que rien en ce globeux sejour
» N'est si franc de la main d'Atrope
» Qu'il ne perisse quelque jour.

» Le Pole Austral tombera
215 » Dessus l'Afrique rostie,
» Et l'Arctique accablera
» Les campagnes de Scythie :
» Le journal Soleil qui luit,
» Teindra sa torche amortie
220 » Aux tenebres de la nuit.

Ainsi rechanta quelquefois
Sur la croupe Sithonienne
Orphé, qui oreilla les bois
Au son de sa lyre ancienne,
225 Ayant reperdu au retour
De la cave Plutonienne
Eurydice, son chaste amour.

Ores les esclandres durs
De la tempeste fatale,
230 Qui accravante les murs
De nostre ville royale,
D'Orphee approuvent la voix,
Nous monstrant que tout devale
Dessous les mortelles loix.

5

ACTE III.

HECUBE. LE CHŒUR. TALTHYBIE.

Hecube.

1235 Compagnes, qui naguere estiez l'honneur de Troye,
Et maintenant des Grecs estes la vile proye,
Soustenez-moy le corps, rompu d'âge et d'ennuis :
Esclave maintenant avecques vous je suis
De Royne trionfante et de mere feconde
1240 De tant de fils guerriers, renommez par le monde.
Aidez-moy, portez-moy, asseurez-moy les pas,
Levez mes foibles mains qui tombent contre-bas :
Ou de peur, mes enfans, que trop je vous ennuye,
Donnez-moy mon baston, que de luy je m'appuye.
1245 Une langueur pesante enveloppe mes sens,
D'heure en heure mes nerfs se vont affoiblissans :
Et quand je suis seulette en ma tente couchee,
Je meurs, de mille soings mortellement touchee,
Et sur tout d'un noir songe : ô songe desastreux,
1250 Songe plein de terreur, songe malencontreux !
Plus je suis en repos, plus ce moleste songe
Ancré dedans mon cœur me devore et me ronge :
Ainsi que le Vautour du larron Promethé
Se paist continuement de son cœur bequeté.

CHŒUR.

1255   Et quelle vision vous est si outrageuse ?

HECUBE.

Il m'a semblé, dormant, qu'une Biche peureuse,
Nourrie en mon giron, que j'aimois tendrement,
A esté mise en proye à un Lyon gourmant,
Qui l'a devant mes yeux en pieces déchiree,
1260   Et sa tremblante chair gloutement devoree.
       Puis un autre fantosme à moy s'est apparu,
Dont m'a la froide horreur les veines parcouru :
J'ay veu le grand Achil, de face menaçante,
Monté sur le sommet de sa tombe pesante,
1265   Demander à grands cris qu'on l'eust à premïer
De quelqu'une de nous qui fust à marier.
O que j'ay grande peur que ma fille il demande !
Ou qu'elle soit choisie en nostre serve bande,
Pour luy estre immolee ! et que j'ay peur aussi
1270   Que mon fils Polydore ait sa part en ceci :
Que, pour estre sauvé de la guerre douteuse,
Nous avons fait nourrir en la Thrace negeuse !
O grands Dieux de la terre et des enfers hideux,
Des songes le manoir, conservez-les tous deux.

CHŒUR.

1275   Las ! voicy Talthybie.

HECUBE.
              O que ne suis-je morte !

CHŒUR.

Il ne vient pas à nous.

HECUBE.
              Cela me reconforte.

CHŒUR.

Il est tout effrayé. Je ne sçay si Calchas
Se seroit avisé de quelque nouveau cas.

TALTHYBIE.

N'est-ce pas chose estrange et de merveille pleine,
1280　Que sans pouvoir singler sur la vagueuse plaine
Nostre flotte demeure aux clostures du port,
Et n'en puisse sortir par nul humain effort :
Que tousjours immobile et ferme elle sejourne,
Soit qu'elle aille à la guerre, ou soit qu'elle en retourne ?

CHŒUR.

1285　Quelle cause, dy nous, arreste les vaisseaux ?
Qui clost vostre retour par les marines eaux ?

TALTHYBIE.

Je ne le puis conter : telle chose m'effroye.
Desja Phebus rayoit sur les coustaux de Troye,
Et le jour repoussoit les ombres de la nuit,
1290　Quand la terre esbranlee avec horrible bruit
Rendit un son affreux de ses cavernes creuses,
Les bois firent mouvoir leurs testes ombrageuses,
Le mont Ide tonna du grand fracassement
Que firent ses rochers tombant horriblement :
1295　La mer devint troublee et se noircit d'orage,
Un abysme apparut au milieu du rivage,
S'estant la terre ouverte et fendue en deux parts
Jusqu'au fond de l'Erebe, ouvert à nos regards.
Lors le fantosme craint de l'indomtable Achille
1300　Saillit du gouffre noir, tel que devant la ville
Il estoit, moissonnant les bataillons entiers
Des Troyens entassez en monceaux charongniers,
Qui, portez de leur sang dans le fleuve de Xanthe,

Estoupoyent le canal de son onde bruyante.
1305 Ou tel que dans son char, superbe trainassant
Hector autour de Troye, il alloit paroissant.
L'espouventable son de sa rude parole
Remplit l'air vaporeux de ceste rive molle :
  Allez (dit-il) allez, Argolides ingrats,
1310 Prenez les honneurs deus à l'effort de mes bras,
 Faites voiles, voguez par les eaux maternelles,
Allez revoir la Grece, ô ames infidelles :
Vous serez repentans d'avoir fraudé mon los,
Si Polyxene vierge on n'immole à mes os.
1315   Il eut dit, et soudain plongé dans la caverne,
Il recheut tout grondant au Plutonique Averne :
L'antre se resserra, les vents resterent cois,
Et des flots orageux cesserent les abois.

HECUBE.

O de mes songes vrais effet trop veritable !
1320 O pauvre Polyxene ! ô mere miserable !

CHŒUR.

Rentrons dedans la tente et la reconfortons.
La mort ne mettra fin au mal que nous portons ?

CHŒUR.

  Se peut-il faire qu'en nos corps,
  Gisans dans le sepulchre morts,
1325   Loge nostre ame ?
  Et combien qu'ils soyent consommez,
  Elle n'abandonne jamais
   Leur froide lame ?

Que le feu devorant qui bruit
1330   Et en cendre nos os reduit,
         N'ait pas la force
De nous manger entierement,
Ains de nous brusle seulement
         L'humaine escorce ?

1335   Ou s'il nous consomme si bien
Que du tout il ne reste rien,
         Rien ne demeure :
Et que dés lors, mesme dés lors
Que l'esprit dernier est dehors,
1340   Tout l'homme meure ?

Non : mais comme d'un bois gommeux
Sort en flambant un air fumeux,
         Qui haut se guide,
Et, volé bien avant és cieux,
1345   Se pert, esloigné de nos yeux,
         Dedans le vuide :

Ainsi de nostre corps mourant
La belle ame se retirant,
         Au ciel remonte,
1350   Invisible aux humains regards,
Et là, franche des mortels dards,
         La Parque domte.

Elle sejourne avec les Dieux
En un repos delicieux,
1355   Toute divine :
Se bien-heurant d'avoir quitté
La terre pour le ciel voûté,
         Son origine.

D'avoir sans violens efforts
360 Faulsé de son terrestre corps
Les chartres closes,
Pour, loin de son faix escarté,
Contempler en sa liberté
Les saintes choses.

365 Là le mortel souci ne poind,
Là Lachesis ne file point,
Là l'inconstance
Du hasard, qui flotte tousjours
Sur nos chefs en cet humain cours,
370 Ne fait nuisance.

Là de ce lourd fardeau bien tost,
Qui mon ame en tristesse enclost,
Du tout delivre,
Puissé-je au saint palais des Dieux,
375 Franche de ces maux ennuyeux,
A jamais vivre.

PYRRHE. AGAMEMNON. CALCHAS.

PYRRHE.

Vous avez donc voulu faire partir l'armee,
Et la gloire d'Achil laisser desestimee ?
D'Achil par qui les murs de Troye sont à bas,
380 Qui a tant terracé d'ennemis aux combas,
Qui Telephe a contraint, par sa blessure sage,
De nous ouvrir sa terre et octroyer passage :
Qui a tué Troïle et le more Memnon,
Qui d'Hector l'invincible a terny le renom,
385 Qui a Penthasilee abbatu contre terre,

Qui a tant exploité de braves faits de guerre,
Couru à tant d'assauts, qui a tant saccagé
De villes et de forts, au meurtre encouragé :
Encore on luy refuse, encore on luy denie
1390   Une esclave que veut son bien-heureux Genie.
      Vous trouvez inhumain de luy sacrifier
La fille de Priam pour le gratifier,
Qui avez immolé pour l'adultere Helene
A la rade d'Aulis vostre fille Iphigene.
1395   Vous blasmez en autruy ce que vous avez fait,
Et vous semble vertu ce qui nous est forfait.

AGAMEMNON.

» La jeunesse ne peut commander à soymesme.
» Cet âge tousjours porte une fureur extréme.
J'ay avec attrempance autrefois supporté
1400   Le colere d'Achille, et sa ferocité.
» Car tant plus nous avons sur autruy de puissance,
» Tant plus il nous convient user de patience.
» Pyrrhe, c'est peu de vaincre, il faut considerer
» Ce qu'un vainqueur doit faire, un vaincu endurer,
1405 » Et craindre la fortune aux presens variables,
» D'autant plus que les Dieux se monstrent favorables.
Nous avons esprouvé par cet assiegement
Que les sceptres des Rois tombent en un moment.
Pourquoy plus orgueilleux Troye nous fait paroistre ?
1410   Nous sommes au lieu mesme où elle souloit estre.
La Fortune, Priam, qui te rend si chetif,
Certes me fait ensemble et superbe et craintif.
» Et cuidez-vous qu'un sceptre autre chose je pense
» Qu'un simple nom couvert d'une vaine apparence,
1415 » Que le moindre hazard peut ravir à tous coups
» Sans mille naus y mettre, et dix ans, comme nous ?
» La Fortune tousjours ne se monstre si lente :

» Souvent à nous destruire elle est plus violente.
Aussi le Ciel j'atteste, et le throsne des Dieux
420 Qu'onques je n'eus vouloir d'abatre, furieux,
Les Pergames de Troye, et de mettre à l'espee
Par un sac inhumain cette terre occupee.
Sans plus je desirois voir leur cœur endurci
Contraint à demander de leur faute merci :
425 Mais du soldat ne peut l'outrageuse insolence
Tellement se domter qu'il n'use de licence,
Quand la nuict, la victoire, et le courroux luy ont
Acharné le courage, et mis l'audace au front.
       Donc ce qui est resté de sa rage, demeure :
430 C'est assez, je ne veux qu'aucun de sang froid meure :
Je ne le veux souffrir, endurer je ne doy
Qu'à mes yeux on esgorge une fille de Roy,
Qu'on plonge le cousteau dans ses entrailles tendres,
Et de son chaste sang on arrose des cendres :
435 Et que pour desguiser un si barbare faict,
Mariage on l'appelle : il n'en sera rien fait.
Des fautes de l'armee il faut que je responde,
Sur moy le deshonneur et le blasme en redonde.
» Aussi qui souffre un crime estre fait par autruy,
440 » S'il le peut empescher, offense autant que luy.

PYRRHE.

Achille n'aura donc aucune recompense ?

AGAMEMNON.

Si aura, tout le monde entendra sa vaillance :
Il n'y aura quartier de ce vague univers
Qui ne soit abreuvé de ses gestes divers.
445 » La louange est le prix de tout cœur magnanime.
» Tout brave cœur ne fait que de la gloire estime.
Que si les trespassez s'esjouissent de sang,

Que dessur son tombeau lon en tire du flanc
Ou du gosier ouvert d'une belle genice,
1450 Sans que d'une pucelle on face sacrifice.
    Quelle façon barbare et coustume est-ce là ?
Quelle execrable horreur ? qui veit jamais cela
Qu'un homme trespassé dans sa tombe eust envie
D'un autre homme vivant, de son sang, de sa vie ?
1455 Vous rendriez vostre pere à chacun odieux,
Le voulant honorer d'actes injurieux.

PYRRHE.

O superbe, insolent en fortune prospere,
Timide et abbatu quand elle t'est contraire,
Des Princes le tyran, tu es accoustumé
1460 D'avoir de nouveau feu l'estomach allumé,
Et de toutes beautez lascivement t'esprendre.
Tu veux donque à tous coups seul nos despouilles prendre ?
Non non, sois asseuré qu'aujourdhuy malgré toy,
Sa victime ordonnee Achille aura de moy.
1465 Que si tu la retiens et refuses d'audace,
Je luy en envoiray de plus digne en sa place :
Aussi bien trop long temps est oysive ma main,
Priam veut son pareil, il l'aura tout soudain.

AGAMEMNON.
Vrayment tu es comblé de grande vaillantise
1470 D'avoir occis Priam, une vieillesse grise,
Que ce tien pere avoit en sa tente embrassé,
Luy demandant le corps de son fils trespassé.
Que ne l'imites-tu ?

PYRRHE.
    J'imite sa proüesse.

AGAMEMNON.

De massacrer un Roy en extreme vieillesse !

PYRRHE.

5 » La mort plus que la vie agree aux affligez.

AGAMEMNON.

Les vieillards par pitié sont de Pyrrhe esgorgez.

PYRRHE.

J'occis mes ennemis.

AGAMEMNON.

D'une clemence egale
Tu veux sacrifier une fille royale.

PYRRHE.

La tienne as immolé, qui ores le defens.

AGAMEMNON.

10 Le païs je prefere à mes propres enfans.

PYRRHE.

» Il n'est point defendu par les loix de la guerre
» De tuer les haineux de sa natale terre.

AGAMEMNON.

» L'honneur et le devoir defendent maintesfois
» De faire ce qui n'est defendu par les loix.

PYRRHE.

15 » Ce qui plaist au vaincueur est loisible de faire.

AGAMEMNON.

» D'autant qu'il peut beaucoup, d'autant luy doit moins plaire.

PYRRHE.

Tu as accoustumé tels propos alleguer
Aux Rois tes compagnons, que tu veux subjuguer :
Mais Pyrrhe ne veut plus souffrir ta tyrannie.

AGAMEMNON.

1490   Pour un tel Scyrien c'est trop de felonnie.

PYRRHE.

Scyre n'a point produit de tels monstres qu'Argos.

AGAMEMNON.

C'est un mechant rocher environné de flots.

PYRRHE.

Aux flots et à la mer mon ayeule commande.
O que d'Atré la race et de Thyeste est grande !

AGAMEMNON.

1495   Mais tu n'es qu'un bastard, encor quand tu fus fait
Ton engendreur Achil' n'estoit homme parfait.

PYRRHE.

Je suis d'Achille fils, dont la race est connuë
De la terre, du Ciel, et de la mer chenuë.
Eac' est sous la terre, en son ciel Jupiter,
1500   Et l'ondeuse Thetis fait les flots agiter.

AGAMEMNON.

D'Achille, à qui Paris a terminé la vie.

PYRRHE.

Mais d'Achille qui l'a au grand Hector ravie.

AGAMEMNON.

Paris, le plus couard des Troyens et des Grecs.

PYRRHE.

Achille, qu'un des Dieux n'eust attaqué de près.

AGAMEMNON.

Je pourrois refrener l'audace impetueuse
De ce jeune arrogant, et sa langue outrageuse,
Mais aux fautes des miens j'ay le cœur trop humain :
Car mesmes aux captifs sçait pardonner ma main.
Il faut avoir Calchas et son advis entendre :
Si le destin le veut, je la souffriray prendre.

    Toy qui as autrefois delié nos vaisseaux
Qui croupissoyent colez aux Beotiques eaux,
Qui prudent as tollu la demeure des guerres,
Qui truchemen du ciel predis sur les tonnerres,
Les foudres, les esclairs, qui les destins cognois
Au paistre des oiseaux, au vol et à la voix :
Qui sçais ce que menace une estoile crineuse,
Une estoile qui traine une torche flammeuse :
Dy nous, divin Calchas, aux immortels pareil,
Ce que nous devons faire, et nous donne conseil.

CALCHAS.

Le sang d'Astyanax ne suffit pas encore,
Il faut que le tombeau d'Achille lon decore
Du sang de Polyxene, et qu'aux Ombres de luy
Pyrrhe espouser la meine, et l'immole aujourdhuy.
Autrement à jamais nostre flote retive,
Sans pouvoir démarer pressera ceste rive :
Et faudra que les Grecs renoncent de pouvoir,
Confinez à ces bords, leurs familles revoir.

PYRRHE. HECUBE. POLYXENE.

PYRRHE.

Allez, soldats, allez, que soudain on l'amene,
1530 C'est tardé trop long temps, amenez Polyxene :
Ja de son tiede sang deust fumer le tombeau,
Ja dans sa gorge deust plonger le saint couteau :
Nous sommes par trop lens au merité salaire,
Que requierent de nous les vertus de mon pere.
1535 Attrainez, arrachez.

HECUBE.

Mechans, que faites-vous ?
A l'aide, Citoyens, venez, secourez-nous.

PYRRHE.

Hecube, pour neant vous faites resistance,
Elle est deüe à mon pere, elle est sa recompense.
Je l'auray, laschez-la, c'est l'arrest du conseil
1540 Qu'on arrose ses os de son beau sang vermeil.

HECUBE.

O Jupiter ! vois-tu sans courroux cet outrage ?
Où est ton foudre craint ?

PYRRHE.

Rien ne sert ce langage,
Je ne veux perdre temps, le sacrifice est prest.

HECUBE.

Quel conseil est-ce là ? quel execrable arrest ?

PYRRHE.

1545 Que sur l'ombreux tombeau du valeureus Achille,
A ses Manes sacrez j'immole vostre fille.

HECUBE.

Immoler ? et pourquoy ? qu'a Polyxene fait ?
Que servira son sang ? quel en sera l'effet ?

PYRRHE.

C'est le vouloir des Dieux, qui nostre flotte agile
550 Empeschent de voguer, sans guerdonner Achille.

HECUBE.

A son nom des autels faites edifier.

PYRRHE.

Il n'a besoin d'autels que pour sacrifier.

HECUBE.

Que l'on luy sacrifie une pleine hecatombe.

PYRRHE.

Il veut que vostre fille on immole à sa tombe.

HECUBE.

555 Helas ! pourquoy ma fille ? assez l'Erebe noir
De mes enfans n'enferme en son triste manoir ?
Le sang de mes enfans n'a teint assez la terre ?
Mes enfans n'ont assez empourpré ceste guerre ?
Ne doit de tant de morts Achille estre contant,
560 Sans m'oster ceste-ci qui seule m'est restant ?
    Quoy ? le pauvre Priam, que vous vinstes occire
Entre mes bras tremblans, ne luy doit-il suffire ?
Prenez plustost Helene : Helene, plus qu'aucun,
Impudique a tramé nostre malheur commun :
565 Par elle est mort Achille et Troye subvertie,
Elle a mieux merité de luy servir d'hostie.
Aussi qu'elle est plus digne, extraitte de Jupin,

D'honorer vostre Achille, extrait de sang divin :
Et qu'en rare beauté Polyxene elle passe,
1570 Comme elle fait encore en esprit et en grace.

PYRRHE.

L'Ombre du preux Achil' veut Polyxene avoir.

HECUBE.

Que mes maux à pitié vous puissent esmouvoir,
O Pyrrhe, et que les ans de moy, que l'âge oppresse,
Et de ma fille aussi l'innocente jeunesse
1575 Poinçonnent vostre cœur : Pyrrhe, laissez-la moy,
C'est mon seul reconfort en ce lugubre esmoy :
Elle me sert d'appuy, de baston de vieillesse,
Et de sa pieté j'adoucis ma tristesse.
Las ! ne me l'ostez point, ne la faites mourir,
1580 Vous pourriez, la tuant, maint diffame encourir.
    » Il ne faut qu'un vainqueur insolemment se porte.
    » La fortune n'est pas tousjours de mesme sorte :
    » Si ore elle vous rit, ne vous faut confier
    » Qu'elle vous vueille ainsi tousjours gratifier.
1585 J'ay n'agueres vescu de richesses remplie,
Et de felicitez Royne tres-accomplie :
Las ! pauvre, et maintenant un seul jour m'a osté,
M'abysmant en malheurs, toute prosperité.
        Mon exemple vous meuve, ô genereux Pelide,
1590 Et ne soit vostre main d'une vierge, homicide.
Quel blasme vous sera-ce ? et combien de rancueur
Encourra d'un chacun ce peuple belliqueur ?
Quand en obscurcissant le clair de vos louanges,
On ira raconter aux nations estranges
1595 Qu'après vostre victoire aurez de sang rassis
Les vierges, les enfans sur vos tombeaux occis ?
Las ! Pyrrhe, de bonne heure evitez ce diffame,

Et d'une telle horreur ne souillez point vostre ame :
Prenez pitié de moy, de moy prenez pitié,
600 Relaissez-moy ma fille, ains ma chere moitié.

PYRRHE.

Il n'est cœur de rocher qui vos plaintes entende
Et de compassion, les entendant, ne fende :
Mais l'humble pieté vers mon pere, qui plaint,
Et le salut commun de la Grece m'astreint
605 De repousser vos pleurs, et, l'oreille fermee,
Entendre au vueil d'Achile et au bien de l'armee :
Armez vous de constance encontre le malheur,
Vous sentez vostre esclandre, et les Grecques le leur.
    Quel nombre pensez-vous de Pelasgides meres
610 Ont perdu leurs enfans en ces guerres ameres,
Et leurs tendres espoux, que le roux Simoïs
Enferme de ses eaux, bien loin de leurs païs ?
Ne pensez estre seule en vos durs infortunes,
Le dueil nous est commun, et les pertes communes.

HECUBE.

615 Ma fille, vous voyez mes prieres voler
Autour de son oreille et se perdre par l'air :
Ma fille, que feray-je ? et que faut-il plus faire ?
Parlez vous mesme à luy, c'est vostre propre affaire,
Jettez-vous à ses piés et requerez merci,
620 Peut estre vous rendrez son courage adouci.
Il n'est pas engendré d'une Ourse Caucasine,
Et pour un cœur ne porte un marbre en la poitrine :
Adressez luy vos pleurs, et si bien l'esmouvez
De vostre douce voix, helas ! que vous vivez.

POLYXENE.

625 Pyrrhe, ne destournez vostre face en arriere,

6

Ne vous reculez point pour n'ouir ma priere :
Je ne demande rien, je ne vous requiers pas
Que me vueillez, chetive, exempter du trespas.
Rasseurez vostre cœur, vous n'aurez peine aucune
1630   A rejetter, felon, ma requeste importune.
Non, non, je vous suivray, n'en ayez point de peur,
Je vous suivray par tout d'un magnanime cœur.
      Ne me vaut-il pas mieux que je meure à ceste heure,
Qu'après mille langueurs en service je meure,
1635   De mon honneur forcee, esclave entre les mains
D'un, qui m'ira soumettre à ses plaisirs vilains ?
Et quel bonheur pourrois-je avoir plus en ce monde,
De telle grandeur cheute en misere profonde,
Qui suis fille d'un Roy, nourrie avec espoir
1640   De me voir Royne un jour dedans un throsne seoir ?
Qui fus la sœur d'Hector aux armes indomtable,
Et maintenant servir captive miserable ?
Plustost puissé-je voir l'onde de Phlegethon,
Plustost puissé-je cheoir aux caves de Pluton,
1645   Laissant du beau Soleil la clairté radieuse,
Que voir ma chasteté souffrir chose honteuse.
      Donc, quand il vous plaira, Pyrrhe, allons à la mort,
Aussi bien n'ay-je plus aucun autre confort,
Je ne puis esperer de Fortune meilleure,
1650   Tant nous sommes perdus, si ce n'est que je meure.
      Or vous, ma douce mere, helas ! ne plorez point,
Plustost esgayez-vous de me voir en ce poinct :
Vous deussiez maintenant, c'est vostre vray office,
Me presenter vous mesme à ce doux sacrifice,
1655   A fin que je ne souffre asservie à leur loy
Chose qui soit indigne et de vous et de moy.
» Toute fille d'honneur perdra plustost la vie
» Que sa pudicité luy soit d'aucun ravie.

PYRRHE.

» Volontiers la vertu le sang illustre suit,
560 » Et des peres l'honneur en leurs enfans reluit.
 » Vrayment Nature a fait à ceux une grand'grace,
 » Qui se peuvent vanter d'estre de bonne race.

HECUBE.

Vous me faites mourir, vos propos genereux
Rengregent, ô mon œil, mes tourmens douloureux.
565 Hé, Pyrrhe, ayez pitié d'une telle jeunesse !
N'arrachez de mon sein ceste sage Princesse :
Ne la massacrez point, vous aurez un remord,
Si vous l'allez tuer, pire que n'est la mort.
Que si pour contenter l'Ombre palle d'Achille
570 Une hostie il vous faut de royale famille,
Me voicy, menez-moy, je tendray le gosier,
J'ay encores du sang pour le rassasier :
C'est moy, Pyrrhe, c'est moy que sa tombe demande,
C'est de mon sang vieillard dont elle est si friande :
575 C'est moy qu'elle poursuit, qui Paris ay conceu,
Ce Paris dont il a le mortel coup receu.

PYRRHE.

Ce n'est pas vous, il veut ceste fille pucelle.

HECUBE.

S'il la veut, pour le moins que je meure avec elle,
A fin que plus de sang puissent boire ses os,
580 Et qu'un double massacre appaise ce heros.

PYRRHE.

Vostre fille suffit, il ne faut d'avantage
Sur ce cave sepulchre exercer de carnage :
Et encor pleust à Dieu que l'on s'en peust passer.

HECUBE.

Il nous faut, il nous faut ensemble trespasser.

PYRRHE.

1685   Attendez que la mort prochaine vous enferre.

HECUBE.

Je luy suis jointe ainsi qu'aux ormeaux le lierre.

PYRRHE.

Laschez-la, c'est en vain : que vous sert vostre effort ?

HECUBE.

Plustost que je la lasche, il me faut mettre à mort.

PYRRHE.

Je ne m'en iray point sinon que je l'emmene.

HECUBE.

1690   Je ne lascheray point ma fille Polyxene.

POLYXENE.

Madame, laissez-moy, de peur que le courroux
De ce jeune guerrier s'attise contre vous,
Et qu'il vous face outrage en m'arrachant de force,
Et qu'à vos bras foiblets il donne quelque entorce :
1695   Qu'il nous traine par terre, et face despiteux
De nos calamitez un spectacle honteux,
Il faut qu'en endurant vostre douleur s'appaise.
Tendez-moy vostre main, à fin que je la baise
Pour la derniere fois, car je ne verray plus
1700   Esclairer dessus moy la torche de Phebus :
Je devalle aux Enfers en l'Avril de mon âge,
Soulant des ennemis la carnagere rage.
Adieu, Madame.

HECUBE.

O Dieux ! ne sçaurois-je mourir ?
Le sang ne me sçauroit comme les pleurs tarir ?
705 Doy-je voir tant de morts ? et voir les funerailles
De tel nombre d'enfans sortis de mes entrailles ?
O ma fille, ains mon ame, ainsi donc je vous pers,
Et sans moy vostre mere ouvrirez les Enfers ?
O pauvre ! ô miserable !

POLYXENE.

Il faut que je vous laisse,
710 Qui vous pensois servir de baston de vieillesse.

HECUBE.

Vous serez loin de moy dessur le triste bord.

POLYXENE.

Cela me gesne plus que ma cruelle mort.

HECUBE.

Il me faudra passer mon âge en servitude.

POLYXENE.

Helas ! j'en ay au cœur grande solicitude.

HECUBE.

715 Chetive après avoir cinquante enfans perdus.

POLYXENE.

Ils sont tous par Helene aux Enfers descendus,
Fors le prudent Helen et Cassandre, et encore
Le dernier de vos fils, le jeune Polydore,
Qui vous puisse survivre, et vous clorre les yeux,
720 Quand la mort bornera vos tourments ennuyeux.

HECUBE.

J'ay peur qu'il ne soit plus.

POLYXENE.

        N'ayés pas ceste crainte.

HECUBE.

J'ay ceste vision encore au cœur empreinte.

POLYXENE.

Que diray-je à Priam, et au fameux Hector ?

HECUBE.

Que je suis en ce monde où je lamente encor.

POLYXENE.

1725 Allons, Pyrrhe, il est temps, je vous fay trop attendre :
Allons de vostre pere ensanglanter la cendre,
Il me desplaist de vivre, allons le contenter :
Allons l'impiteux glaive en ma gorge planter.

HECUBE.

O desastre, ô misere, ô malheur incroyable !
1730 O Ciel, Ciel inhumain ! ô Ciel impitoyable !
O Dieux sourds à nos cris, vainement reclamez,
Après nostre carnage aboyans affamez !
Pourquoy si longuement d'ans et de mal chargee
Me faites-vous trainer ceste vieillesse agee,
1735 Sans rompre le filet de mes vieux jours retors,
Plustost qu'à mes enfans en leur jeunesse morts ?
Qu'avecques mon mari n'ay-je franchi le fleuve
Du bourbeux Acheron, sans luy survivre veufve ?
Survivre à mes enfans en dix ans massacrez,
1740 Au siege d'Ilion, par les cousteaux des Grecs ?

O Mort, que tardes-tu ? qu'est-ce plus que tu tardes,
Que maintenant, au moins, mes poumons tu ne dardes,
Affranchissant mon ame, et la deracinant
De ce corps miserable où je me vay gesnant ?

CHŒUR.

1745
    L'ame fut de celuy mechantement hardie,
        Hardie à nostre mal,
    Qui vogua le premier sur la mer assourdie
        Et son flot inegal.
    Qui d'un fraisle vaisseau raclant des ondes bleuës
1750
        Les larges champs moiteux,
    Ne craignit d'Aquilon les haleines esmeuës,
        Ny de l'Auton pesteux :
    Qui mesprisant la mort, à ses desseins compagne,
        Et prodigue de soy,
1755
    Aux moissons prefera d'une herbeuse campagne
        Un element sans foy :
    Et d'un cours incertain, sur des naus passageres,
        Sa terre abandonnant,
    Alla, pour le proffit, aux terres estrangeres,
1760
        Leurs rives moissonnant.
    Quelle crainte de mort descendit dans ses mouëlles
        Qui le peut effrayer ?
    Qui sans peur veit enfler la cavité des voiles,
        Et les flots abayer ?
1765
    Qui veit les rocs battus d'escumeuses tempestes
        Les astres menaçans :
    Et d'Epire les monts aux sourcilleuses testes
        De foudre rougissans ?
    Qui veit les Capharés, et les rages de Scylle,
1770
        Qui veit Charybde auprès,
    En son ventre engloutir les ondes de Sicile,
        Pour les vomir après ?

» Sans cause Jupiter la terre a separee
» D'une vagueuse mer,
1775 » Si les hardis mortels de l'une à l'autre oree
» Font leurs vaisseaux ramer.
Qu'heureux furent jadis nos regretables peres
  En leur temps bien-heureux,
Qui de voir, nautonniers, les rives estrangeres
1780   Ne furent desireux :
Ains d'avarice francs, d'envie et de cautelles,
  Les pestes de ce temps,
Paisibles labouroyent leurs terres paternelles,
  Dont ils vivoyent contens.
1785 On ne cognoissoit lors les humides Pleiades,
  Orion, ny les feux,
Les sept feux redoutez des pleureuses Hyades,
  Le Charton, ne ses bœufs.
Zephyre et Aquilon estoyent sans noms encore,
1790   Venus et les Jumeaux,
Astres que le nocher palle de crainte adore,
  Flambans sur ses vaisseaux.
Tiphys tenta premier la poissonneuse plaine
  Avec le fils d'Eson,
1795 Pour aller despouiller une rive lointaine
  De sa riche toison.
Puis nostre beau Paris de voiles et de rames
  Fendit l'onde à son tour :
Mais au lieu de toison il apporta les flames
1800   D'une adultere amour.
La Grece repassa la mer acheminee,
  Apportant le brandon
Qui vient d'enflamber Troye, et l'ardeur obstinee
  Du feu de Cupidon.

ACTE IIII.

MESSAGER. ANDROMACHE. TALTHYBIE. HECUBE.

MESSAGER.

105 O spectacle cruel ! ô destin miserable !
O detestable faict, horrible, espouventable !
O bourrelle Achaie ! ô peuples plus felons,
Plus barbares et durs que Scythes et Gelons !
Que les peuples cachez aux cavernes secretes
110 Du touche-ciel Atlas, que les fiers Massagetes,
Nourriçons de Boree, et que les Ours ne sont,
Ou les Tigres foulans le Caucaside mont !

ANDROMACHE.

Quelle fureur t'espoind ? quelle chose inhumaine
Te transporte, ô Troyen, et te met hors d'haleine ?

MESSAGER.

115 Qu'as-tu veu de semblable ? et qu'as-tu veu de tel,
Chetif, durant le temps de ce siege mortel ?

HECUBE.

Ceste horreur m'appartient.

ANDROMACHE.
Mais à moy miserable.

HECUBE.

Mais à moy, car tout mal m'est, helas ! lamentable.
Chacun souffre le sien, mais le mal d'un chacun,
1820 Outre mes propres maux, m'est un tourment commun.
Par ainsi, Messager, quel quel soit cest esclandre
Que tu vas deplorant, il vient sur moy descendre :
Et ne peux lamenter aucun malheur Troyen,
Survenu de nouveau, qu'il ne soit du tout mien.

MESSAGER.

1825 Astyanax est mort.

ANDROMACHE.
O puissance eternelle !

HECUBE.
Ne vengeras-tu, pere, une cruauté telle ?

ANDROMACHE.

Où est ores ton foudre, et ce feu si grondant,
Que sur ces enragez tu ne le vas dardant ?
Ne vois-tu de là haut ces griefves forfaitures ?
1830 Ou si tu n'as souci de venger nos injures ?
Accable, pour le moins, mon chef, Olympien,
Si contre les Gregeois ton foudre ne peut rien :
Accable accable moy, vien me broyer la teste,
Pour rompre la fureur qui dedans moy tempeste,
1835 Pour me faire revoir sur les rivages coys
Mon fils et mon espoux, meurtris par les Gregeois.

MESSAGER.
On l'a precipité du feste des murailles.

ANDROMACHE.

O quel eslancement je sens en mes entrailles !
Il faut que je le voye, et qu'avant que la mer
840 Nous deloge d'ici, je le face inhumer.

HECUBE.

Ne bougez, entendons ce discours mortuaire.
Toy, messager, poursuy, ne crain de nous desplaire.
De feu, de sang, de cris, de larmes je me pais,
Ceste seule viande ha mon cœur desormais :
845 Rien ne s'offre à mes yeux, rien ne bat mes oreilles
Que meurtres, que tombeaux, que pitiez nompareilles :
Et retraite à par moy, je n'ay l'entendement
Occupé jour et nuit que de ce pensement.
Je me soule en mon mal, je m'y bagne et m'y plonge,
850 Ce plaisant desplaisir de mon bon gré me ronge.
Conte donc, je te pry.

ANDROMACHE.

                    Que la terre ne fend,
Et ne me va piteuse en son ventre estoufant !

MESSAGER.

Il nous reste une tour de la defunte Troye,
Que le feu n'a rongé, que la cendre ne noye,
855 Comme les autres tours, et que les soldats Grecs
Au publique brasier ont conservee exprès
Pour eternelle marque et celebre trophee
De leurs braves labeurs sur Troye triomphee.
      Là nagucres Priam sur les creneaux estoit
860 Dedans son thrône assis pendant qu'on combatoit,
Et de voix et de mains, à bas sous les murailles,
Grave en longs cheveux gris, arrengeoit les batailles,
Mignardant tendrement et tenant en ses bras

Le petit fils d'Hector, luy monstrant les combats :
1865 Et comme à coups de pique, endossé de ses armes,
Son pere alloit fendant la presse des gendarmes,
Les rompoit, foudroyoit, terraçoit à monceaux,
Et de sang et de feu remplissoit leurs vaisseaux.
        Ceste fameuse tour, ornement de la ville,
1870 Mais, las ! qui ressemble ore un rocher inutile,
De peuple estoit pressee : autour de toutes pars
Eussiez veu fourmiller les chefs et les soldars :
Chacun sort des vaisseaux, et par troupes s'assemble,
L'onde bleuë en fremist, tout le rivage en tremble.
1875   Loin s'eleve un coustau, qui peu à peu descend
Jusqu'au pied de la tour et en plaine s'estend :
Là l'Argolique armee à son aise se campe.
L'un de piez et de mains à toute force rampe
Au feste des rochers, et balancé des piez
1880 Descouvre de la mer les grands flots repliez :
L'autre grimpe en un Pin, en un Fouteau se cache,
Ou aux bras d'un Laurier avec les mains s'attache,
Si que lon voit branler sous le moleste pois
De ce peuple pendant, la perruque des bois.
1885 Cestuy-cy veut gravir au haut d'un precipice,
Cestuy-là sur le toict d'un fumeux edifice,
Ou sur un pan de mur à demy consommé,
Reliques d'Ilion par les Grecs enflammé :
Mesmes aucuns (forfait !) se vont planter sans crainte
1890 Sur la tombe d'Hector, inviolable et sainte,
Quand nous voyons marcher Ulysse l'inhumain
Avec Astyanax, qu'il menoit par la main :
Puis montez, en tournant, par une vis fatale
En l'estage dernier de ceste tour royale,
1895 L'enfant Hectorean d'un visage rassis
Regarde constamment les peuples espaissis
Ondoyans par la plaine, ainsi qu'une tourmente

De longs espics flotans, quand Zephyr les évente.
    De tous costez il tourne et retourne ses yeux
900 Lançant de toutes parts un regard furieux,
Ainsi qu'un Lyonceau encor foiblet et tendre,
De qui la jeune dent ne peut encore offendre :
S'efforce toutefois de mordre en son courroux,
Desja sa hure il branle, et fremist à tous coups,
905 Il s'enfle, il se boursoufle, en ses yeux il amasse
Et en son cœur felon, la rage et la menace.
    Ainsi ce jeune enfant coleré de se voir
Entre ses ennemis, sujet à leur pouvoir,
Monstroit dessur le front le despit de son ame :
910 De ses deux yeux sortoit une brillante flame
D'outrageuse rancœur, et la ferocité
De son pere luisoit en son front irrité.
    Ce brave naturel superbe et magnanime
Esmouvoit un chacun, tous l'avoyent en estime :
915 Les peuples et les chefs à plorer sont contrains,
Et chacun essuyoit les larmes de ses mains,
Mesme le dur Ulysse, attendry de courage,
De pitoyables pleurs s'est baigné le visage.
    Mais tandis que le Prestre, à par soy murmurant
920 Maints et maints mots sacrez, va les Dieux adjurant,
Les bustuaires Dieux, qu'il invoque Neptune,
Eole et les Tritons de la mer importune,
En les propiciant pour leur ondeux retour,
L'enfant, sans luy toucher, s'elance de la tour
925 Sur le dos des rochers.

ANDROMACHE.
    Quel Gete, quel Tartare,
Et quel Colque a commis un acte si barbare ?
Quel peuple sans pitié, sans police, sans loix,
Vivant dans les deserts, privé d'humaine voix

Et d'humaine raison, sur les monts d'Hyrcanie,
1930 A commis, a conceu si grande felonnie ?

HECUBE.

De Busire n'estoyent les sacrifices tels,
Car le sang des enfans ne teindoit ses autels.
L'horrible Diomede et aux Dieux execrable,
De membres enfantins n'emplissoit son estable,
1935 Et ne les entassoit dedans ses rateliers,
Pour en faire engraisser ses chevaux carnaciers.

ANDROMACHE.

O miserable enfant ! et qui, las ! aura cure
D'ensevelir ton corps digne de sepulture ?

MESSAGER.

Son corps est tout froissé, tout moulu, écaché,
1940 Rompu, brisé, gachy, demembré, dehaché,
Sa teste par morceaux, la cervelle sortie,
Et bref vous ne verrez une seule partie
Qui n'ait les os broyez plus menu que le grain
Qu'on farine au moulin pour le tourner en pain :
1945 Si qu'il ne semble plus qu'une difforme masse
Confuse de tout poinct, sans trait d'humaine face
Ny d'humaine figure, et puis le sang, qui l'oint,
Fait qu'en levant un membre on ne le cognoist point.

ANDROMACHE.

Son sort est plus cruel que celuy de son pere.
1950 O Dieux, que vostre main est contre nous severe !
Meurtrir ce pauvre enfant ? le faire torturer
Auparavant qu'il sceust que c'estoit d'endurer ?
Me l'aviez-vous donné, me l'aviez-vous fait naistre
Pour de sa dure mort les yeux Gregeois repaistre ?

55 Helas ! et ne m'estoit-ce assez d'affliction
Que mes freres germains, que mon pere Etion,
Que mon espoux aimé, que ma natale ville,
Thebes aux hautes tours, fussent destruits d'Achille,
Si je n'avois exprès un enfant par malheur,
60 Pour de sa mort cruelle enfieler ma douleur ?
    Enfant, où que tu sois, souviens-toy de ta mere,
Ne me laisse servir en maison estrangere,
Supplie, si tu peux, à la noire Atropos
Que bien tost avec toy je devale en repos,
65 Effaçant mes ennuis dedans l'onde oublieuse,
Les ennuis que me fait ceste vie odieuse.
Si faut-il, mon enfant, que j'aye le souci
De te faire un sepulchre en quelque part ici :
Je ne permettray pas que tu sois la pasture
70 Des bestes, des oiseaux de gloutonne nature.
Je vay prier les Grecs.

MESSAGER.

    Les Grecs l'ont estendu
Dans le boucler d'Hector, pour vous estre rendu.

ANDROMACHE.

O boucler, l'ornement d'une dextre guerriere,
Vous servez maintenant à mon enfant de biere !
75 On vous a veu jadis, ô renommé boucler,
Plus redouté des Grecs que d'un foudre l'esclair :
Et lors je pensois folle (ô trompeuse pensee !)
Voir un jour, quand d'Hector la vieillesse avancee
Par les travaux guerriers, luy courberoit le dos,
80 Que son fils heritier de son antique los
Se pareroit de vous, vous porteroit en guerre,
Las ! et tout au rebours vous le portez en terre.

CHŒUR.

» Nos gemissemens sont plus doux
» Quand chacun gemist comme nous :
1985 » Nostre douleur est moins cuisante
» Et mord nos cœurs plus lentement,
» Quand nostre publique tourment
» Tout une commune lamente.

» Ah ! tousjours tousjours un grand mal
1990 » Se plaist de trouver son egal,
» Un compagnon tousjours desire :
» Et rien ne nous soulage tant
» Que de voir un autre portant
» Le mesme dueil qui nous martyre.

1995 » Alors aucun ne s'apperçoit
» Miserable, encor qu'il le soit.
» Ostez les personnes heureuses,
» Ostez les riches, vous verrez
» Les pauvres qui sont atterrez,
2000 » Lever les testes orgueilleuses.

» Nul ne se pense malheureux
» Qu'accomparé d'un bien-heureux.
» Las ! qu'un homme qui se lamente
» Sent peu de consolation,
2005 » Que quelqu'un en sa passion
» L'aborde la face riante.

» Celuy plus aigrement se pleint
» Qui est seul d'infortune atteint :
» Et plus impatient soupire

» Qui de la tourmente agité
» Nud contre un rocher est jetté,
» Voguant avec un seul navire.

» Mais en un semblable malheur
» Semblable n'est pas sa douleur,
» Voyant encombrer le rivage
» De mille vaisseaux renversez,
» Qui par les vagues dispersez
» Ont fait avecque luy naufrage.

Phrixe traversant, sur le dos
De son belier, les traistres flots,
Avec sa sœur la pauvre Helle,
Espoinct de grand' tristesse fut
Quand sous les ondes elle cheut,
Par-ce qu'il n'y cheut autre qu'elle.

Mais quand Pyrrhe et son vieil mari
Restans seuls du monde peri,
Veirent noyer la race humaine,
Leurs amis ne pleurerent pas :
Pource que de pareils trespas
La vagueuse terre estoit pleine.

Nostre dueil devroit estre tel,
Puis qu'il nous est universel :
Mais la flote victorieuse
Rend par ses allaigres chansons,
Plus que nos propres marrissons
Nostre fortune malheureuse.

TALTHYBIE. HECUBE. CHŒUR.

TALTHYBIE.

O grand Dieu Jupiter ! les affaires mondains
Gouvernes-tu, conduits par tes puissantes mains,
Ou s'ils vont compassez d'un ordre de nature,
2040   Ou si l'instable sort les pousse à l'avanture ?
D'où vient que ceste Royne, après tant de malheurs,
En nouveau dueil retombe et en nouvelles pleurs ?
Qui n'aguere aux Troyens commandoit orgueilleuse,
Qui d'enfans Rois avoit une suitte nombreuse,
2045   Femme du grand Priam, dont le renom fameux
Par l'Asie a couru jusqu'aux Indois gemmeux :
Elle n'a maintenant ny royaume ny ville,
Ses enfans sont meurtris, et le preux fils d'Achille
A tué son espoux : elle n'a pour tout bien
2050   Que le seul desplaisir de ne se voir plus rien.
Encore est-elle esclave, ô chose pitoyable !
Je la voy là couchée à terre sur le sable.
Hecube, levez-vous, redressez vostre chef,
Tournez vers moy les yeux.

HECUBE.

                Et quel nouveau mechef
2055   T'ameine ici vers moy ? Calchas, ce brave augure,
Me veut-il égorger sur quelque sepulture ?
Allons, me voici preste.

TALTHYBIE.

                Agamemnon le Roy
Et l'exercite Grec, qui marche sous sa loy,
Vous mande qu'envoyez au port vostre famille,
2060   Pour faire ensevelir le corps de vostre fille.

HECUBE.

Que ceste charge est dure ! hé, bons Dieux, j'esperois
Que tous mes maux je deusse amortir ceste fois,
Que ma mort fust conclue, ô esperance vaine !
Au lieu d'elle j'entens la mort de Polyxene.
O deplorable mort ! mais las ! Herault, dy moy,
A-telle fait, mourant, chose indigne de soy ?
Discours moy de sa fin.

TALTHYBIE.

               Vous me ferez encore
Attrister de sa mort, si je la rememore :
Je ne lairray pourtant, puis qu'ainsi le voulez,
A fin que de douleurs vostre esprit vous soulez.
    Le sepulchre d'Achille est basti sur la rive,
Où l'onde Rheteanne en escumant arrive :
Derriere est un valon qui hausse doucement,
Et qui fait en theatre un grand contournement.
Là s'est rendu le peuple, et ceste pente ronde
Jusqu'au pied du tombeau s'est couverte de monde.
    Les uns alloyent disant que ceste mort ostoit
L'ancre du long sejour qui leurs naus arrestoit,
Qu'il falloit des haineurs perdre toute la race :
Mais la plus grande part du Gregeois populace
Detestoit ce forfait, quand on voit les flambeaux
Porter ainsi ardans comme aux soirs nuptiaux.
Quelques jeunes enfans, choisis entre les bandes,
Marchoyent le front orné d'odoreuses guirlandes :
Pyrrhe suivoit après, de la main conduisant
La vierge coste à coste, au sepulchre nuisant.
Une soudaine horreur descend dans les moüelles
Des peuples effroyez de nopces si cruelles :
La face nous pallist, le cœur nous va battant,
Et la froide sueur à nos fronts va montant.

Un silence muet soudain couvre la plaine,
Nous demeurons surpris d'une frayeur soudaine.
    Elle, d'honneste honte ayant les yeux baissez,
Traverse avecques luy les escadrons pressez.
2095 Ceste douce beauté, dont Cyprine la douë,
Luist plus que de coustume en sa vermeille jouë,
Apparoist plus divine, et nous semble son teint
Se lustrer d'autant plus qu'il est près d'estre esteint.
Comme on voit sur le soir plus douce la lumiere
2100 Du Soleil, quand il tombe en l'onde mariniere,
Que les astres nuiteux vont le ciel entrouvrant,
Et que le jour pressé se va demi-couvrant.
Chacun sent de la voir attendrir son courage,
Les uns sa beauté meut, les autres son bas age,
2105 Aucuns vont discourant l'inconstance du sort,
Mais tous prisent son cœur si magnanime et fort.
    Elle devance Pyrrhe, et d'une franche allure
Monte au plus haut sommet de ceste sepulture :
Alors le Pelean, du tombeau s'approchant,
2110 Et de sa main l'autel reveremment touchant,
Les deux genoux pliez va dire en ceste sorte.
    Reçoy, mon Geniteur, dessus ta cendre morte
La sainte effusion que nous t'avons voulu
Faire d'un sang virgeal, non souillé, ny polu :
2115 Reçoy-le de nos mains, et que si chere offrande
Te soit propiciable, et satisfait te rende.
Appaise ton courroux, preux Achille, et permets
Que desancrer du port nous puissions desormais,
Et libres et vainqueurs par ta forte proüesse,
2120 Sans encombre revoir les villes de la Grece.
    Il eut dit, et chacun sa priere approuva,
Un murmure de voix à l'entour se leva :
Comme aux grandes citez, où le peuple commande
Par cantons assemblé pour quelque chose grande :

25 Après que le Tribun a cessé de parler,
Un tumulte confus, un bruit s'eleve en l'air
Des tourbes approuvant ou reprouvant la chose
Que pour le bien public ce magistrat propose.
    Pyrrhe ayant achevé se leve tout debout,
30 Met la main au poignard et le desgaine tout,
Fait signe aux jeunes gens qui estoyent auprès d'elle,
De luy serrer les mains. Mais adonc la pucelle
En ces mots s'écria : Gregeois, laissez mon corps,
Je mourray franchement sans faire aucuns efforts,
35 Pourveu que je sois libre, à fin qu'entre les Manes
Serve je ne sois veuë aux rives Stygianes,
Qui suis fille de Roy : laschez moy, je vous pry.
    Lors se fist par le peuple un effroyable cry,
Voulant qu'on la laissast, et Agamemnon mesme,
40 Les larmes sur les yeux, le commanda luy-mesme :
Elle fendit sa robe avec sa blanche main,
Et jusques au nombril se decouvrit le sein :
Sa poitrine fut veuë avec ses mammelettes,
S'enflant egalement comme rondes pommettes :
45 Puis, les genoux en terre, à Pyrrhe dist ainsi,
    Si tu veux traverser ceste poitrine ici,
O Pyrrhe, ou si plustost ce gosier tu demandes,
L'un et l'autre sont prests, fay de moy tes offrandes.
    A ces mots il s'approche, et son glaive poignant
50 Dans le sang de la vierge à regret va baignant,
Il sort comme un estang qui coule par la bonde :
Et elle, que laissoit son ame vagabonde,
Tombant dessur la face, encore eut pensement,
La mort dedans le cœur, de cheoir honnestement,
55 Et de ne découvrir à la tourbe nombreuse
De son corps estendu chose qui fust honteuse.
    Tout le monde gemist, personne ne s'est veu
Qui se garder de plaindre et larmoyer ait peu :

Chacun retourne triste, abominant l'oracle
2160   Du prophete Calchas, et son sanglant spectacle.
Le sang ne ruissela, quand du corps il sortit,
Car le cruel tombeau tout soudain l'engloutit.

HECUBE.

Allez, Danois, ouvrez les campagnes liquides,
Retournez seurement aux citez Argolides,
2165   Mettez la voile au vent, abandonnez le port,
Ma fille est immolee, Astyanax est mort :
La guerre est achevee, où est-ce, helas, où est-ce
Que je dois employer ce reste de vieillesse ?
Qui doy-je lamenter ? sera-ce mon espoux,
2170   Ma fille, mon païs, Astyanax, ou vous,
Ou moy, ou tous ensemble ? ô Parque, je t'appelle,
Qui aux vierges est tant et aux enfans cruelle,
Vien à moy, massacreuse : et pourquoy me crains-tu ?
Que n'as-tu ja mon corps dans la tombe abatu ?
2175   Tu me redoutes seule, et seule entre les armes,
Les meurtres, les brandons, les horreurs des gendarmes,
Les cheutes de maisons tu me vas espargnant,
Et, foulant tant de corps, le mien tu vas craignant.
        Or vous, Grecs frauduleux, qui d'armes deloyales
2180   Avez renversé Troye aux ondes Stygiales :
Qu'après dix froids hyvers n'avez prise sinon
Par un feint partement et par un faux Sinon :
Qui par vos cruautez avez pollu la terre,
L'onde humide et le ciel, d'où Jupiter desserre
2185   Ses foudres rougissans sur les deloyautez
Des traistres, comme vous, confits en cruautez :
Puisse, pour nous venger de vos lasches parjures,
Neptun vous travailler d'horribles avantures
Par ses ondes voguant : que les uns d'entre vous,
2190   Battus des flots de l'onde et du venteux courrous

Des Aquilons troublez, trebuchent pesle-mesle,
Environnez d'esclairs, de foudres et de gresle :
Qu'ils puissent avec crainte et tourment abysmer
Devorez des troupeaux de la monstreuse mer :
95 Que les rocs Capharez aux pointes fluctueuses,
Que Scylle et que Charybde, et les Syrtes sableuses
Retiennent vos vaisseaux, que les flots poissonneux
Vous poussent sur les bords des Cyclops caverneux.
        Que la femme l'espoux, le fils la mere tue,
100 Que l'un se plonge au cœur une lame pointue,
Et l'autre par les eaux vagabonde exilé,
Cherchant nouveau sejour sous un ciel reculé :
Qu'il vienne quelque Roy, qui les peuples d'Asie
Face marcher un jour dans la Grece saisie,
105 Fourmillant plus espais, pour revanger nos torts,
Que ne sont les espics aux Gargariques bords,
Les fueilles aux forests, l'arene qui poudroye
Sur le bord Libyen où le Soleil blondoye.
Que vos Citez de feux il destruise et de sang,
110 Et nos calamitez sentiez à vostre rang :
Bref, que, si tost qu'aurez esloigné ceste rade,
Vous souffriez comme nous des maux une Iliade.

CHŒUR.

Hecube, retenez quelques funebres pleurs
Pour vostre fils meurtri, comble de vos malheurs.

HECUBE.

115 O Phlegethon, Erebe, Acheron, tristes fleuves,
O larvales maisons de toute joye veufves !
O monstres des Enfers ! ô Megere, Alecton,
Dires, Rages, Horreurs, ministres de Pluton,
A ceste heure, à ceste heure ouvrez vostre caverne
120 Et m'engouffrez vivante au plus creux de l'Averne.

O Soleil qui reluis par ce vuide escarté,
Retire de mes yeux ta riante clarté,
Ta clarté vagabonde, et d'une espaisse nuë
Vien aveugler de moy et d'un chacun la veuë :
2225 Peux-tu voir, peux-tu luire, et peux-tu visiter
Ce monde si rebelle aux loix de Jupiter ?
Ce mechant, ce cruel, ce deloyal barbare,
Ce traistre Thracien, pour une faim avare
De l'or injurieux a violé le droit
2230 De l'hostelage saint, que reverer on doit :
Il a meurtri mon fils qu'il avoit en sa garde,
Pour ravir ses thresors, tant sa main est pillarde.
Helas ! mais dites-moy, où l'avez-vous trouvé ?

CHŒUR.

Au port sur le gravois, de vagues abreuvé.

HECUBE.

2235 O destin miserable ! un seul moment ne passe
Qui sur mon pauvre chef mal dessur mal n'entasse !
Qui ne donne à mon ame un nouvel argument
De larmes, de soupirs, et de gemissement !
Hé mon fils ! hé mon fils ! qui t'a faict cet outrage ?
2240 Qui t'a faict aborder à ce dolent rivage ?
Quel Démon t'a conduit des Thraces animeux,
Sous mes yeux maternels par les flots escumeux ?

CHŒUR.

Quand le funeste bruit parvint à nous captives,
Que Polyxene avoit teint nos Troyennes rives
2245 Du pourpre de son sang, et que son corps gisoit
Au pié du fier sepulchre où Achil reposoit :
Nous dechirant la face et plombant la poitrine,

Forcenant du malheur qui contre nous s'obstine,
Et vomissant tel cry pour si triste mechef
250 Que si devant nos yeux Troye ardoit derechef,
Allasmes d'une bande, ainsi que furieuses,
Sans craindre des Gregeois les armes colereuses,
A travers leurs squadrons jusqu'au sepulchre creux
Où Polyxene estoit, victime de ce preux.
255   Là toutes execrant la soif insatiable
Qu'il a de nostre sang en sa tombe execrable,
Enlevons la pucelle, et la portons hûlant
Sur la gréve du port où le flot va roulant.
Nous la devestons nuë, et de l'onde marine
260 Luy nettoyons sa playe et sa face yvoirine :
Mais, comme la pauvrette en grand soing nous lavons,
Sous les plis d'un rocher près nous appercevons
Le corps de cet enfant qui sur la rive ondoye,
Et soudain soupçonnant qu'il fust de nostre Troye,
265 Nous approchons de luy, luy remarquons les traits :
Et l'ayant recogneu redoublons nos regrets,
Pleurant sur Polydore et detestant les astres,
Qui respandent sur nous tant de piteux desastres.
Nous l'avons apporté pour vos pleurs recevoir,
270 Et avecque sa sœur mesme sepulchre avoir.

HECUBE.

Hé hé, mon Polydore, en qui j'avois dolente
Mis mon dernier espoir et ma derniere attente,
Las, que je suis deceuë ! hé mechant execré,
Comme tu l'as de coups durement massacré !
275 Comme à le dehacher tu as soulé ta rage,
Aux meutres acharné plus qu'un Tygre sauvage,
Nourriçon d'Hyrcanie, infame, sans pitié,
De tes hostes bourreau, sous ombre d'amitié.
    Hà ne fera le ciel qu'un si grand malefice

2280 Sente de Jupiter l'equitable justice,
L'hostelier Jupiter qu'offendre il a osé,
Tant le desir de l'or a son cœur embrasé ?
Que son bruyant courroux tombe dessur sa teste,
Que l'eclat de son foudre aujourd'huy le tempeste,
2285 Ou que, sous ma puissance à souhait le tenant,
Je m'aille sur sa vie outrageuse acharnant,
Je luy sacque du corps les entrailles puantes,
Je luy tire les yeux de mes mains violentes,
J'égorge ses enfans et de leur mourant cœur
2290 Je luy batte la face, appaisant ma rancœur.

Chœur.

Le Tyran est ici : car sçachant la nouvelle
De nostre sac Troyen, est venu l'infidelle
Aux obseques de Troye, à fin de butiner
Et d'offrir son secours pour nous exterminer.
2295 Nous pourrons feintement l'attirer en nos tentes
Sous espoir de proffit : nous vous serons aidantes.

Hecube.

Allons, filles, entrons, les grands Dieux irritez
Se vangeront par nous de ses impietez.

CHŒUR.

» L'alme foy n'habite pas
2300 »   Ici bas :
» La fraude victorieuse,
» L'ayant bannie, à son tour
»   Fait sejour
» Sur la terre vicieuse.

305 » Elle est remontee aux cieux
»   Radieux,
» Avecques la belle Astree,
» Ce faux siecle detestant,
»   Qui l'a tant
310 » Inhumainement outree.

» Jamais la desloyauté
»   N'a esté
» Si grande en nous qu'elle est ore :
» Nous sommes plus desloyaux
315 »   Que les eaux
» Qui lechent la rive More.

» Les Ours courans vagabonds
»   Par les monts
» Et par les forests obscures,
» Ont plus de ferme amitié
320 »   La moitié
» Que n'ont les hommes parjures.

» Le perc va son enfant
»   Estoufant,
325 » L'enfant estoufe le pere :
» L'espouse esteint à tous coups
»   Son espoux,
» Et luy son espouse chere.

» Le frere asseuré n'est pas
330 »   Du trespas
» En l'amitié fraternelle :
» L'hoste va l'hoste souvent
»   Decevant
» En sa maison infidelle.

2335 » La foy se reclame en vain
  »   Où le gain
  » Pousse nos ames tortues.
  » Le peuple les Princes suit,
  »   Mais refuit
2340 » Leurs couronnes abatues.

  Quiconque Prince tu sois,
    Dont les loix
  A mille peuples commandent,
  Entouré de toutes pars
2345   De soudars
  Qui valeureux te defendent :

  Qui vois chacun se mouvoir,
    Pour te voir,
  D'une joyeuse allaigresse,
2350 Et de grand'aise ravi
    A l'envi
  Te faire importune presse :

  Pense qu'en tant de sujets
    Arrengez
2355 Par troupes dedans la rue,
  Et de ceux qui font sejour
    En ta cour,
  Nul de bon cœur te saluë.

  Ou bien s'ils ne sont moqueurs
2360   En leurs cœurs,
  Et ne fardent leur visage,
  Croy qu'à la premiere peur
    Du malheur
  Ils changeront de courage.

365 » La foy n'arreste jamais
    »   Aux Palais
    » Que la Fortune abandonne :
    » Chacun retire sa foy
    »   De ce Roy
370 » Que le malheur environne.

    Quand Troye estoit en grandeur
           Pleine d'heur,
    Les Rois luy faisoyent hommage,
    Qui de ses murs desolez
375   Reculez
    Luy font maintenant outrage.

    Ce Polymestor mechant,
           Arrachant
    De son cœur l'amitié sainte,
380 A sa deloyale main,
           L'inhumain,
    Au sang de son hoste teinte.

ACTE V

POLYMESTOR. HECUBE.
LE CHŒUR. AGAMEMNON.

POLYMESTOR.

O Priam que j'aimois plus que tous Rois du monde,
Las, que j'ay deploré ta misere profonde,
2385   Que j'en porte de dueil ! et que j'en porte aussi
De vous voir, pauvre Hecube, en cet esclandre ici :
Vostre orgueilleuse ville en ses murs embrasee,
Et les piez contremont des fondemens rasee :
Vos enfans et vos biens saccagez aujourd'huy,
2390   Et vostre propre vie en puissance d'autruy.
  » Las ! rien n'est asseuré : toutes choses humaines
  » Sujettes à perir, sont tousjours incertaines :
  » Et nul ne se peut voir tant de felicitez
  » Qu'il ne puisse tomber en plus d'adversitez.
2395 » Mais que sert ce propos ? nos destresses passees
  » Et nos pertes ne sont par larmes effacees,
  » Nos plaintes n'y font rien : les royaumes perdus
  » Ne sont pour lamenter par Jupiter rendus.

HECUBE.

J'ay honte de vous voir en ces malheurs reduite,

Que la Fortune heureuse avoit tousjours conduite :
J'en ay honte, et mes yeux je n'ose hazarder
De les lever sur vous, craignant vous regarder :
Ce n'est, Polymestor, de volonté mauvaise.

POLYMESTOR.

Ne vous contraignez-point, faites-en à vostre aise,
J'excuse vostre ennuy. Mais pour quelle raison
M'avez-vous envoyé chercher en ma maison ?

HECUBE.

C'est pour un cas secret, qu'en secret je desire
Avecques vos enfans en ces tentes vous dire.
Faites donc loin d'ici vos gardes retirer.

POLYMESTOR.

Je me puis bien ici sans gardes asseurer,
Retirez-vous, soldats.

HECUBE.

       Dites moy, je vous prie,
Mon enfant Polydore est-il encore en vie ?
Est-il en seureté ?

POLYMESTOR.

    De cela n'ayez soin.

HECUBE.

O le parfait ami, qui ne faut au besoin !
A-til de moy, sa mere, encore souvenance ?

POLYMESTOR.

Il vous fust venu voir, n'eust esté ma defence.

HECUBE.

N'avez-vous pas gardé ce qu'il vous porta d'or ?

POLYMESTOR.

Je le garde en ma chambre, et tout y est encor.

HECUBE.

Faites-le, je vous pry : le pauvre jeune Prince
2420 N'a besoin qu'en son bien aucun mette la pince.

POLYMESTOR.

Mieux encor que le mien je le garde et defens.

HECUBE.

Sçavez-vous que je veux à vous et vos enfans ?

POLYMESTOR.

Quelles choses sçait-on sans les avoir ouyes ?

HECUBE.

Nos richesses je laisse en la terre enfouyes.

POLYMESTOR.

2425 C'est volontiers à fin de les pouvoir sauver.

HECUBE.

Voire pour mon enfant, s'il les peut conserver.

POLYMESTOR.

Quel besoin que mes fils en ayent cognoissance ?

HECUBE.

Pour après vostre mort en avoir souvenance.

POLYMESTOR.

C'est prudemment parlé.

HECUBE.

Sçavez-vous bien, helas !
430 Où n'agueres estoit le temple de Pallas ?
Là le thresor repose.

POLYMESTOR.

Il faut l'endroit cognoistre.

HECUBE.

Vous verrez au dessus un noir marbre apparoistre.

POLYMESTOR.

Voulez-vous autre cas ?

HECUBE.

Vous garderez aussi
L'or qu'avec moy je porte.

POLYMESTOR.

Où l'avez-vous ?

HECUBE.

Ici.

POLYMESTOR.

435 Dessous vos vestemens ?

HECUBE.

Non, mais dedans nos tentes.

POLYMESTOR.

Qui maintenant y est ?

Hecube.

                    Des femmes gemissantes.
Entrez, tout y est seur, depeschez, car les Grecs
Desirent faire voile, et seront bien tost prests.

Chœur.

    Va bourreau, va barbare affamé de richesses,
2440 Va querir le loyer de tes fraudes traistresses,
    Tu seras, tu seras maintenant chastié
    D'avoir cet innocent égorgé sans pitié,
    Qui estoit en ta garde, et n'avoit esperance
    Qu'en toy, lâche meurtrier, qu'en ta seule fiance.
2445 Mais ainsi qu'un qui chet en quelque gouffre noir,
    Où plusieurs il avoit auparavant faict cheoir :
    Au gouffre tu cherras de fraude et de malice,
    Où Polydore est cheut par ta caute avarice.
  » Car jamais en ce monde un faict pernicieux
2450 » D'un mechant ne demeure impuni par les dieux :
  » Et, s'ils se monstrent lents à venger son offense,
  » Comme ils font quelquefois, ce n'est par connivence.
  » Car tost ou tard son chef sent leur bras punisseur :
  » Ou s'il ne le sent point, sera son successeur.
2455   Contraire à ton dessain, tu vas prendre une voye,
    Où tu verras la mort, au lieu de l'or de Troye :
    Car volontiers Pluton, des richesses le Roy,
    Pour t'assouvir de biens te conduira chez soy :
    Là toy et tes enfans, Acherontides ames,
2460 Gemirez d'estre occis par des armes de femmes.
    Ió je les entens.

Polymestor.

                    Au secours, ô bons Dieux !
Aux armes, je suis mort, on me créve les yeux.

CHŒUR.

C'est le cry du meurtrier, Hecube s'évertue.

POLYMESTOR.

Au secours, venez tost, mes deux enfans on tue.

CHŒUR.

65 La vengeance est entiere. Or je le voy qui sort.

POLYMESTOR.

O l'execrable sexe ! elles ont mis à mort
Mes enfans innocens, les cruelles furies,
Les pestes, Alectons, brulantes de tûries.
Jupiter foudroyeur, qui dardes de ta main
70 Sur Rhodope le mont tant de foudres en vain,
Ne les puniras-tu ? pourquoy maintenant cesse
Oysive et sans effet ton ire vengeresse ?
Et toy, Mars fremissant, qui sur Heme negeux
Attises aux combats les Thraces courageux,
75 Ne me veux-tu venger, qui suis né de ta race ?
Qui dessous toy commande à ta guerriere Thrace ?
J'ay perdu du Soleil la joyeuse clairté,
Le rayon lumineux de Phebus m'est osté.
Le sang court de mes yeux au lieu des pleurs premieres,
80 Et la nuit eternelle est jointe à mes paupieres :
Mes pas vont incertains, et de peur de broncher
J'avance l'un des pieds devant que démarcher :
Des jours de mes enfans la trame est accourcie,
Ils errent maintenant sous la terre obscurcie,
85 Les pauvrets, et leur pere, à leur mort survivant,
Ne les sçauroit venger du moindre homme vivant.

CHŒUR.

O pauvre infortuné, que tu souffres d'angoisses !

Hecube.

Ce sont là de nos faicts, ce sont de nos proüesses,
Ce sont marques de nous et de nostre vertu :
2490   Nous avons de tels jeux Polydore esbatu.

Chœur.

Quelque Dieu courroucé de tes horribles crimes
T'a fait precipiter en douloureux abysmes.
» Si tu as fait du mal à quelqu'un, tu ne dois
» Te plaindre si de luy d'autre mal tu reçois.

Polymestor.

2495   Où iray-je, ô vrais Dieux ! helas je ne voy goute !
Où tournera mon œil qui de sang noir degoute ?
J'allonge pieds et mains pour le chemin sonder,
Mais encor je ne m'ose au chemin hasarder.
O beau Phebus, guary ma paupiere aveuglee !
2500   Où iray-je qu'à toy ? à l'ardeur dereiglee
Du flambant Sirien ? Iray-je où Orion
Bluette de ses yeux un chaleureux rayon ?
Ou sur l'onde de Styx, de clairté despourveüe,
Où les Ombres des morts n'ont que faire de veüe ?

Agamemnon.

2505   Je viens à la clameur et au bruit turbulent
De ce peuple de serfs jusqu'à la mer volant,
Que la jasarde Echon, hostesse vigilante
D'un caverneux rocher, en nos vaisseaux rechante :
Que si les murs Troyens, par l'effort de nos bras,
2510   N'estoyent piés contre-mont bouleversez à bas,
Ce tumulte estranger eust en toute l'armee
Une peur effroyable en allarme allumee.

POLYMESTOR.

O grand Agamemnon, je vous suppli, voyez
En quel malheur je suis, et mes plaintes oyez !

AGAMEMNON.

515 Pauvre Polymestor, qui t'a fait cet outrage ?
Qui t'a crevé les yeux, ensaigné le visage ?
Qui ces petits enfans a massacré de coups ?
Quiconque en soit l'autheur avoit bien du courroux,
Avoit bien du rancœur en son ame inhumaine,
520 Et à ta race et toy portoit horrible haine.

POLYMESTOR.

Hecube, ceste vieille, et le troupeau captif
Des filles d'Ilion m'ont fait ainsi chetif.

AGAMEMNON.

Quoy, Hecube, est-il vray ? avez-vous eu l'audace
De l'offendre, et tuer son innocente race ?

POLYMESTOR.

525 Elle est donques ici, la bourrelle ? pour Dieu
Enseignez-moy l'endroit, enseignez-moy le lieu,
Qu'empoigner je la puisse, et que, vengeant l'injure
De mes fils et de moy, son corps je defigure,
Je la demembre vive, et face trespasser
530 Entre mes bras vengeurs devant que la laisser.

AGAMEMNON.

Laissez-la, ne bougez.

POLYMESTOR.

Permettez que je mange
Son cœur, et qu'à souhait sur elle je me venge :

Que d'ongles et de dents je dechire son sein,
Et ses boyaux infets j'arrache de ma main.

AGAMEMNON.

2535 Commandez vous un peu, et de vostre courage
Ostez, Polymestor, ceste brutale rage
Qui vous transporte ainsi : puis sans vous esmouvoir
Faites moy doucement vostre encombre sçavoir.

POLYMESTOR.

Un fils avoit Priam, qu'on nommoit Polydore,
2540 Le plus jeune de tous, qui ne vestoit encore
Le harnois esclatant, et entre les soudars
N'alloit, eschauffé d'ire, aux orages de Mars :
Son pere prevoyant la pendente ruine
De son sceptre ancien, sous la force voisine
2545 Des Gregeois obstinez, qui venoyent tous les jours
Lancer leurs feux poissez jusqu'aux sommets des tours,
Me l'envoya, peureux, en ma cour Thracienne,
Pour le garder, sauvé de la main Argienne.
        Or je l'ay fait occire aussi tost que j'ay sceu
2550 Que Priam gisoit mort, que Troye estoit en feu.
Et n'ay-je pas bien faict d'esteindre dans mes terres,
Pour nostre commun bien, la semence des guerres ?
J'ay prudent redouté que cet enfant un jour
Repeuplast de bannis le Troïque sejour,
2555 Et resserrant les os des antiques Pergames,
Les vengeast, rebastis, des Pelasgides flames,
Ranimast de rechef les hommes et les dieux
Pour poudroyer l'orgueil de ses murs odieux :
Et que la flotte Grecque, à nos ports abordee,
2560 Exerçast de rechef sa rage desbordee,
Ravageant mes sujets, les pillant, rançonnant,
Comme ils sont ravagez et pillez maintenant :

Ainsi qu'on voit souvent qu'une flamme voisine
Sur les prochains logis de toicts en toicts chemine.

2565 Hecube ce pendant ayant sceu le trespas
De son fils, m'a deceu de blandissans appas,
M'a vers elle attiré d'une faulse esperance
De me faire emporter d'Ilion la chevance :
Elle m'a conduit seul et mes enfans foiblez,
2570 Pour nous devoir monstrer ses thresors assemblez.
Nous entrons en sa tente, où de voix deceptives
Nous viennent recevoir les Troades captives,
Abordent par troupeaux, me vont environnant,
De doucereux propos, feintes, m'entretenant.
2575 Aucunes mignardant de pareilles feintises
Mes enfans, caressez de mille mignotises,
Les chargent à leur col, les tirent à l'escart,
Ce pendant que je suis abusé de leur fard.
  Je ne fus guere ainsi que leur cry pitoyable
2580 Aux oreilles ne vint du pere miserable :
Je me cuide lever de ma chaire, mais las !
Je me sens aussi tost retenu par les bras,
Je ne puis m'arracher, quoy que je m'évertue,
Et que mon corps roidi deçà delà je rue,
2585 Me pensant depestrer des liens de leurs mains,
Mais sans rien avancer tous mes efforts sont vains.
Aucunes me tirant par ma longue criniere,
En me voulant lever, m'abaissent en arriere,
M'estendent renversé la face contre-mont,
2590 Et lors à leur plaisir mille outrages me font :
Arment leurs fieres mains d'aiguilles bien poignantes,
Et percent de mes yeux les prunelles brillantes,
De coups multipliez à l'envi m'outrageant,
Et de sang et de nuit mes paupieres chargeant.
2595 Après que de leur cœur la forcenante envie
De bourreler mes yeux s'est du tout assouvie,

Elles m'ont relaissé (tout d'un coup s'enfuyant)
Seul dans leur pavillon mes playes essuyant,
Où avecques les mains je tasche à me conduire,
2600   Privé du blond Soleil qui me souloit reluire.
Encor n'ay-je tel dueil de mes yeux obscurcis
Que je sens de douleur de mes enfans occis,
Dont les corps massacrez, pour aigrir mes destresses,
M'ont esté presentez par ces fieres tigresses,
2605   Mes pauvres enfançons qu'à la mort j'ay conduit,
Comme mes yeux, pour fondre en eternelle nuit.
      Agamemnon, voila le discours de mes peines,
Que des Grecs m'ont ourdy les rancœurs et les haines,
Revengez mon injure, ains la vostre : pourquoy
2610   Si ne faites justice estes-vous esleu Roy ?

AGAMEMNON.

Vous tuastes son fils pour avoir sa richesse,
Et ore de sa mort elle est la vengeresse.
Vous avez le premier une injure commis,
Que rester sans guerdon les grands dieux n'ont permis.
2615   Il ne vous en faut plaindre, ains avec patience
La peine supporter de vostre propre offense.

POLYMESTOR.

O Dieux, secourez-moy ! mes outrages vengez,
Et au comble de maux ces Troades plongez !
Que ceste cruauté ne leur soit impunie,
2620   Qui voyez que d'ici la justice est bannie !

HECUBE.

Jupiter, qui veit oncq tant de maux espandus,
Et tant d'esclandres durs sur un chef descendus ?
Las, je n'ay plus d'enfans ! la mort engloutit ore
Le dernier de mes vœux, le petit Polydore,

25 Qui bien loin du brasier et des glaives Gregeois
Avoit esté transmis, pour regner quelquefois
Aidé de nos thresors, instrumens necessaires,
Necessaires souvent, mais à luy mortuaires.
» O que la faim de l'or les cœurs mortels espoind !
30 » Qu'est-il de tant sacré qu'il ne viole point ?
» L'hoste égorge son hoste, et n'est amour si sainte
» Qui tous les jours ne soit par ce desir esteinte.

Voy comme ce tyran, ce faux Polymestor
T'a, Polydore, occis pour brigander ton or,
35 Après qu'il sceut la fin de Priam et de Troye,
Et que ce qui restoit, des Grecs estoit la proye.
» Ainsi qu'on voit souvent que les Dieux ennemis
» Tollissant le bon-heur, tollissent les amis :
» Et que l'alme amitié, tant soit elle envieillie,
40 » Avecques les honneurs et les biens est faillie.

Je fus de Rois extraite, et conjointe à un Roy,
Beaucoup de braves Rois sont engendrez de moy,
Magnanimes enfans, à qui ne s'egalerent
Aucuns des Phrygiens, et moins les surpasserent
45 En vertus et proüesse : et le Ciel n'a produit
Femme qui tant que moy fust heureuse en beau fruit :
Mais las ! devant leurs jours, en la fleur de leur âge
Ils ont vomi la vie en Martial orage.
Mars les a devorez, et sur leurs tombeaux creux
50 A chacun j'ay coupé mes blanchissans cheveux,
Egalement feconde en tristes funerailles,
Et en fils valeureux portez en mes entrailles.

Mes filles que j'avois, en qui la chasteté
Egale conspiroit avecques la beauté,
55 Que j'avois, hé malheur ! si tendrement nourries,
Que je mignardois tant, que j'avois si cheries,
Et que je reservois à mariages saints,
Pour les donner aux Rois de nos terres prochains,

Ont esté le butin de soudars sanguinaires,
2660 Encores degoutans des meurtres de leurs freres.
     Et vous, Dieux, le sçavez et vous n'en faites cas !
Et vous, Dieux, le voyez et ne nous vengez pas !
Ce seul Roy le loyer de ses cruautez porte,
Ce qui fait toutefois que je me reconforte
2665 Et m'allaite d'espoir que quelques-uns encor
Pourront estre punis comme Polymestor.

FIN.

ANTIGONE

ou

LA PIETÉ

TRAGEDIE

A Monseigneur BRISSON,

Conseiller du Roy en son Conseil privé,
et President en sa Cour de Parlement.

Il me souvient, Monseigneur, que lors que la genereuse liberalité
de nostre bon Roy (non jamais assouvy d'illustrer les belles et
admirables vertus de ses sujets) eust honoré la docte preud'hommie
de monseigneur de Pibrac, de la souveraine dignité de President
à la Cour, les Muses me meirent à propos l'un de mes Tragiques
ouvrages en main, pour testifier en mon esgard la publique alaigresse
que la France avoit de son advancement. Et ores, que la mesme
debonnaireté de nostre mesme Roy a voulu decorer vostre semblable
vertu d'une mesme dignité, en ceste mesme Cour, les mesmes
Tragiques Muses me viennent tirer des mains cet ouvrage de
mesme stile et façon : pour, vous le presentant, demonstrer que
je ne veux estre seul qui ne communique à l'universel conjouisse-
ment de ce Royaume, pour le nouvel ornement de vos merites. Car
qui est le François, chez lequel n'ait penetré la celebrité de vostre
nom ? qui n'ait l'oreille repue et traversee du son de vos louanges ?
voire qui ne soit tiré en une merveillable admiration, de voir les
astres et les hommes ainsi conspirer à l'embellissement d'un si
digne sujet ? Je ne puis dire que nostre âge (bien que miserable)
soit un siecle de fer, ce pendant que je verray la vertu ainsi esclater

*au pourpre de Senateurs, sur le throne de la supreme Justice de
ce Royaume, telle que nous la voyons reluire en la droite equité
de ces six reverables peres, qui tiennent en ce saint Areopage
le premier rang d'authorité : et ausquels la vertueuse saison de
nos ancestres ne se peut vanter d'avoir rien produit de pareil.
Pour le moins devons-nous esperer de nostre bon Prince, comme
d'un second Auguste, le retour d'un siecle d'or, tandis que tels
Pilotes maniront, sous le bon-heur qui l'accompagne, le gouvernail
de sa Justice. Mais je m'esgare, Monseigneur, et sans y penser,
poussé de l'impetuosité de mon desir, je me viens embarquer sur
la mer de vos louanges : et, au lieu de vous presenter une Tragedie,
je semble vouloir entrer en un Panegyric. Je me radresseray donc,
pour vous entretenir des infortunes de ceste pitoyable Antigone,
qui, revivant en nostre France, se vient, comme esperdue, jetter
entre vos bras, pour luy estre aussi favorable support qu'elle fut
debonnairement le soustien et conduitte de son miserable pere.*

  Vostre tres-affectionné serviteur

R. GARNIER.

Argument d'Antigone.

Chacun sçait comme Edipe, fils de Laye, Roy de Thebes,
et d'Iocaste sa femme, fut exposé à mort sur le mont
Cithéron, aussi tost qu'il fut né : pour avoir esté predict
au Roy qu'il seroit un jour par luy occis. Et que Phorbas
pasteur de Polybe, Roy de Corinthe, qui passoit d'avanture,
le voyant pendu à un arbre les jambes traversees d'un osier,
et le trouvant bel enfant à son gré, le porta à la Royne
sa maistresse, qui n'en avoit aucuns, laquelle le nourrit et
eleva comme sien. Et que devenu grand, ayant sur la verité
de son origine consulté l'oracle d'Apollon, il luy fut dict
qu'il trouveroit son pere près de Thebes : où s'estant
acheminé il eut fortuitement querelle avec les gens du Roy,
qu'il rencontra en chemin sans le cognoistre, lequel,
accouru au secours des siens, fut par luy occis en la meslee.
Que depuis estant retourné à Thebes, et l'ayant delivree
des molesties du Sphinx, il espousa la Royne Iocaste sa
mere, et eut d'elle quatre enfans, Eteocle, Polynice, Antigone, et Ismene. Que quelque temps après, la ville estant
mortellement infectee d'une longue et irremediable peste,
il entendit de l'oracle que la contagion ne cesseroit que la
mort du defunct Roy ne fust vengee. Ce qui fut cause que,
s'estant plus exactement informé du temps, du lieu, et de

la façon de ce meurtre, il decouvrit que c'estoit luy mesme
qui l'avoit perpetré, et qu'il avoit commis inceste avec sa
mere. Et qu'ayant horreur de telles execrations, il s'arracha
les yeux de ses propres mains, quitta la ville, et alla faire
penitence sur les rochers de Cithéron, passant ses miserables jours en lamentations et regrets, avec Antigone,
qui ne le voulut abandonner. Or ce pendant Eteocle et
Polynice ses fils, entrez en differend pour le droict du
Royaume, convindrent et accorderent en fin de regner
successivement d'an en an. Et suivant cet accord, Eteocle
ayant, comme aisné, commencé sa charge, s'y trouva si
bien que, son temps expiré, il ne voulut laisser prise et se
demettre du gouvernement, pour recevoir un successeur.
Dequoy Polynice justement indigné se retira vers les
Princes de Grece, pour implorer leur aide au recouvre-
ment de son Royaume. Et entre autres s'adressa au Roy
des Argiens Adraste, qui, l'ayant faict son gendre, assembla
une forte armee pour le remettre en ses terres, et en
dechasser l'usurpateur. Ils camperent près les murailles
de Thebes, où estoit Eteocle, qui mist toutes ses forces
aux champs, et à l'instant se donna une cruelle et sanglante
bataille, où mourut la plus part des deux armees, mesmes
les chefs et capitaines. Polynice, extremement desplaisant
de la mort de Tydee, son beau-frere, de Capanee, Hippomedon, Amphiaree et Parthenopee, belliqueux et magnanimes seigneurs, fist appeler son frere Eteocle au combat,
auquel ils entrerent si furieusement, à la veuë des deux
camps, qu'ils demeurerent tous deux morts sur la place.
Dont Iocaste advertie se donna d'un poignard dans le
sein, et mourut. Les Argiens d'autre part, voyans celuy
mort pour lequel ils avoyent prins les armes, et se sentans
merveilleusement affoiblis de la perte qu'ils avoyent faitte,
leverent le siege, et se retirerent hastivement. Creon, frere
d'Iocaste, s'estant fait Roy, fait enterrer ses morts, avec

defense à peine de la vie, d'inhumer les corps des ennemis, et sur tous celuy de Polynice, motif d'une si funeste guerre. Et pour l'execution de son ordonnance, fait asseoir des gardes pour surprendre les infracteurs d'icelle. Ce nonobstant Antigone se resout d'ensevelir son frere, et de ne le laisser manger aux bestes et oiseaux : mais comme elle vaquoit à ce pitoyable office, elle est prise et menee à Creon, qui la condamne à mort. Elle est descendue et enclose en une caverne pour y mourir de faim : mais elle, sans attendre une si longue mort, s'estrangle de ses liens de teste. Creon l'avoit fiancee avec Hemon son fils, qui, l'ayant trouvee morte en ceste caverne, où il estoit entré pour l'en tirer, vaincu d'amour et de douleur, se traverse le corps de son espee, et trespasse sur celuy de sa maistresse. Les nouvelles de ce piteux accident venues aux oreilles de la Royne sa mere, la saisirent d'une si intolerable douleur qu'elle se tua sur l'heure. Creon, comblé de tristesse pour l'amas de tant de soudains et multipliez desastres, fait de lamentables regrets, qui ferment la catastrophe de ceste Tragedie.

Ce subjet est traitté diversement, par Eschyle en la Tragedie intitulee Des sept Capitaines à Thebes, par Sophocle en l'Antigone, par Euripide aux Phenisses, et par Seneque et Stace en leurs Thebaides. La representation en est hors les portes de la ville de Thebes.

ANTIGONE

ou
LA PIETÉ

Les Entreparleurs.

EDIPE.
ANTIGONE.
IOCASTE.
Messager.
POLYNICE.
HEMON.
ISMENE.
Chœur de Thebains.
CREON.
Chœur de Vieillards.
Les Gardes du corps de Polynice.
Chœur de filles Thebaines.
EURYDICE.
DOROTHEE.

ACTE I.

EDIPE. ANTIGONE.

EDIPE.

Toy, qui ton pere aveugle et courbé de vieillesse
Conduis si constamment, mon soustien, mon addresse,
Antigone ma fille, helas ! retire toy,
Laisse moy malheureux souspirer mon esmoy,
5   Vaguant par ces deserts : laisse moy, je te prie,
Et ne va malheurer de mon malheur ta vie.
Ne consomme ton âge à conduire mes pas,
La fleur de ta jeunesse avec moy n'use pas,
Retire toy, ma fille. Et dequoy me profite,
10   Me voulant fourvoyer, ta fidelle conduite ?
Je ne veux point de guide au chemin que je suy :
Le chemin que je cherche est de sortir d'ennuy,
M'arrachant de ce monde, et delivrant la terre
Et le ciel de mon corps, digne de son tonnerre.
15   Pour ne voir plus le ciel aveugler me suis peu,
Mais ce n'est pas assez, car du ciel je suis veu :
Le ciel tout regardant est tesmoin de mon crime,
Et ne m'engouffre, helas ! sous l'infernal abysme,
Me souffre, abominable, encores avaler

20 Les saveurs de la terre et le serein de l'air.
  Retire donc ta main qui tendrement me serre,
Et permets que tout seul par ces montagnes j'erre.
J'iray sur Cithéron aux longs coustaux touffus,
Où, dés que je fu né, dés qu'au monde je fus,
25 Ma mere m'envoya, pour dans un arbre paistre
Les corbeaux de ma chair qui ne faisoit que naistre :
Il me demande encore, il me faut là tirer.
C'est luy, c'est Cithéron que je doy desirer :
C'est mon premier sejour, ma demeure premiere,
30 C'est la raison qu'il soit ma retraitte derniere.
Je veux mourir vieillard, où je fus destiné
De mourir enfançon, si tost que je fus né.
Redonne moy la mort, rens moy la mort cruelle,
La mort, qui me suivoit tiré de la mamelle,
35 O meurtrier Cithéron : tu m'es cruel tousjours,
Et mes jours allongeant, et retranchant mes jours,
Pren ce corps qui t'est deu, ceste charongne mienne,
Execute sur luy l'ordonnance ancienne.
  Las ! pourquoy me tiens-tu ? ma fille : et vois-tu pas
40 Que mon pere m'appelle et m'attire au trespas ?
Comme il se monstre à moy terrible, espouventable ?
Comme il me suit tousjours et m'est inseparable ?
Il me monstre sa playe, et le sang jaillissant
Contre ma fiere main, qui l'alla meurtrissant.

ANTIGONE.

45 Dontez, mon geniteur, ceste douleur amere.

EDIPE.

Et qui pourroit donter une telle misere ?
Dequoy sert plus mon ame en ce coupable corps ?
Que ne sors-tu, mon ame ? helas ! que tu ne sors
D'un si mechant manoir ? penses-tu qu'il me reste

50 Encore un parricide, et encore un inceste ?
J'en ay peur, j'en ay peur, ma fille laisse moy :
Le crime maternel me fait craindre pour toy.

ANTIGONE.

Ne me commandez point que je vous abandonne,
Je ne vous laisseray pour crainte de personne :
55 Rien, rien ne nous pourra separer que la mort,
Je vous seray compagne en bon et mauvais sort.
    Que mes freres germains le Royaume envahissent,
Et du bien paternel à leur aise jouissent :
Moy mon pere j'auray, je ne veux autre bien,
60 Je leur quitte le reste et n'y demande rien.
Mon seul pere je veux, il sera mon partage,
Je ne retiens que luy, c'est mon seul heritage.
Nul ne l'aura de moy, non celuy dont la main
S'empare injustement du beau sceptre Thebain :
65 Non celuy qui conduit les troupes Argolides :
Non pas si Jupiter de foudres homicides
Les terres escrouloit, et, fumant de courroux,
Descendoit maintenant pour se mettre entre nous,
Il ne feroit pourtant que ceste main vous lâche,
70 Je seray vostre guide, encor qu'il vous en fâche.
Ne me rejettez point, me voulez-vous priver
Du bonheur le plus grand qui me puisse arriver ?
    S'il vous plaist de gravir sur l'ombrageuse teste
D'un coustau bocager, me voyla toute preste :
75 S'il vous plaist un vallon, un creux antre obscurci,
L'horreur d'une forest, me voyla preste aussi :
S'il vous plaist de mourir, et qu'une mort soudaine
Seule puisse estoufer vostre incurable peine,
Je mourray comme vous, le nautonnier Charon
80 Nous passera tous deux les vagues d'Acheron.
    Mais ployez, je vous pry, cet obstiné courage,

Surmontez vostre mal, surmontez vostre rage.
Où est de vostre cœur la generosité ?
Voulez-vous succomber sous une adversité ?

EDIPE.

85 O la grande vertu ! bons Dieux ! se peut-il faire
Que j'aye onque engendré fille si debonnaire ?
Se peut-il faire, helas ! qu'un lict incestueux
Ait peu jamais produire enfant si vertueux ?
Desormais je croiray qu'une Louve outrageuse
90 Nourrisse dans ses flancs une Brebis peureuse :
Que d'un Pigeon craintif soit un Aigle naissant,
Et d'un Cerf lasche-cœur un Lion rugissant :
Que la nuict tenebreuse engendre la lumiere,
Et la brune Vesper l'Aurore journaliere :
95 Puisque d'un sale hymen, que nature defend,
De la mere et du fils, peut naistre un tel enfant.
    Laisse moy, mon souci, veux-tu bien que j'endure
Que mon pere soit mort sans venger son injure ?
Pourquoy me serres-tu de ta virgeale main
100 Ma dextre parricide, et mon bras inhumain,
Taché du mesme sang qui me donna naissance ?
Mechante, abominable et pestifere engence !
    Je ne fay qu'allonger la trame de mes maux :
Je ne vy pas, je sens les funebres travaux
105 D'un qui tombe au cercueil, mon ame prisonniere
Est close de ce corps, comme un corps de sa biere.
Tu penses me bien faire en prolongeant ma fin,
Mais je n'ay rien si cher qu'accourcir mon destin.
Tu retardes ma mort qu'avancer je desire,
110 Et, me cuidant sauver, ta main me vient occire.
Car la vie est ma mort, et mon mal devorant
Ne peut estre guari si ce n'est en mourant.
» Qui contraint vivre aucun qui n'en a pas envie,

» N'offense moins qu'ostant à quelque autre la vie.

15 Par ainsi laisse moy : j'ay, desireux, quitté
Du Royaume Thebain l'antique dignité :
Mais je n'ay pas, laissant ce royal diadéme,
Despouillé le pouvoir que j'avois sur moymesme.
Je suis maistre de moy, personne ne me doit
20 Defendre, ou commander : car moy seul j'ay ce droit.

ANTIGONE.

N'aurez-vous point pitié de ma douleur amere ?

EDIPE.

N'auras-tu point pitié du malheur de ton pere ?

ANTIGONE.

Vostre malheur est grand, mais un cœur genereux
Surmonte tout malheur, et n'est point malheureux.

EDIPE.

25 Le malheur où je suis n'est pas remediable.

ANTIGONE.

Du malheur qui vous poingt vous n'estes pas coupable.

EDIPE.

Après m'estre du sang de mon pere polu ?

ANTIGONE.

Non, puisque l'offenser vous n'avez pas voulu.

EDIPE.

J'ay ma mere espousee, et massacré mon pere.

ANTIGONE.

130   Mais vous n'en sçaviez rien, vous ne le pensiez faire.

EDIPE.

C'est une forfaicture, un prodige, une horreur.

ANTIGONE.

Ce n'est qu'une fortune, un hasard, une erreur.

EDIPE.

Une erreur, qui le sang me glace quand j'y pense.

ANTIGONE.

Ce n'est vrayment qu'erreur, ce n'est qu'une imprudence.

EDIPE.

135   Quel monstre commit onc telle mechanceté ?

ANTIGONE.

» Personne n'est mechant qu'avecques volonté.

EDIPE.

Ce sont propos perdus : Tu ne sçaurois combatre
Par tes fortes raisons mon cœur opiniastre.
J'ay desir de mourir, et de plonger mon mal
140   Avec mon ame serve, en l'abysme infernal :
Et si plus bas encore un trespassé devale,
Plus bas je veux tomber que la voûte infernale.
        Penses-tu pour m'oster de la dextre le fer,
Pour m'oster un licol, ourdy pour m'estouffer,
145   Pour destourner mes pas des roches sourcilleuses,
Et pour me reculer des herbes venimeuses,
M'empescher de mourir ? tu tasches pour neant
De me clorre l'enfer qui est tousjours beant.

» La mort s'offre sans cesse : et combien que la vie
50 » De tout chacun puisse estre à tout moment ravie,
» La mort ne l'est jamais, la mort on n'oste point.
» Quiconque veut mourir, trouve la mort à poinct.
» Mille et mille chemins au creux Acheron tendent,
» Et tous hommes mortels, quand leur plaist, y descendent
55 O mort ! ô douce mort ! viens estouper mes sens,
Et me perce le cœur de tes dards meurtrissans,
Deschire moy le sein de tant d'horreurs capable,
Arrache moy la vie, et l'esteins, pitoyable,
Sous cette roche dure en eternel recoy,
60 Et que jamais Phebus ne rayonne sur moy.
Laisse le Styx, mon pere, et tousjours accompagne
La bourrelle Alecton, de mon ame compagne :
Voy ses tisons soulfreux, ses foüets, et ses serpens
Enflez de noir poison, sur mes poumons rampans,
65 Mon eternelle peine, et la prens pour vengence,
Ta douleur consolant, de mon horrible offense.
Que s'il ne te suffist, comme certe il n'est mal
Pareil à mon forfait, à mon forfait egal,
Si tu te deulx encor' du peu de mes encombres,
70 Aimant mieux que je sois avec les tristes Ombres
Sur les bourbeux palus des creux Enfers grondans,
Fay que la terre s'ouvre et me pousse dedans :
Fay moy porter le roc, qui sans cesse devale,
Fay moy souffrir la soif et la faim de Tantale,
75 Que du cault Promethé j'aye la passion,
Du tonnant Salmonee, et du traistre Ixion :
Tous leurs tourments ensemble à peine pourront estre
Suffisans pour moy seul, damné devant que naistre.
  Sus donc, Edipe, sus, ne t'outrage à demy,
80 Ce n'est pas assez d'estre à tes yeux ennemy,
Tes yeux seuls n'ont forfait, tu es en tout coupable,
Et n'y a rien de toy qui ne soit punissable.

Ouvre toy l'estomac, dechire toy le sein,
Arrache toy le cœur de ta sanglante main,
185 De ta main parricide, et qu'elle mesme paye
A ton pere le prix de sa mortelle playe.

ANTIGONE.

Pour Dieu, mon Geniteur, appaisez vostre mal,
Puis qu'il ne vient de crime, ains d'un malheur fatal :
Escoutez-moy pauvrette, et vostre oreille douce
190 Ma suppliante voix par desdain ne repousse.
Je ne demande pas que vous vueillez encor
Reprendre en vostre main le sceptre d'Agenor :
Je ne demande pas que de loix salutaires
Vous vueillez gouverner vos peuples volontaires,
195 Et que vostre famille abysmee en malheur
Vous vueillez redresser en son antique honneur :
Je ne vous requiers pas que le dueil qui vous tue
Vous vueillez despouiller de vostre ame abatue :
» Combien qu'il appartienne à l'homme de grand cœur
200 » D'estre de la fortune en ses assauts vainqueur,
» Et de ne succomber à la douleur maistresse :
» Ains de fouler aux pieds la rongeante tristesse,
» Qui rampe dans nostre ame, incurable poison,
» Si l'on ne la destrempe avecques la raison.
205   Pourquoy recourez vous à la mort pour remede ?
Sinon que vostre force à la Fortune cede,
Que contre son assaut vous n'estes assez fort,
Et que vous ne pouvez soustenir son effort.
Mais las ! que sçauroit plus la Fortune vous faire ?
210 Sçauroit-elle estre plus qu'elle vous est contraire ?
Jupiter, qui peut tout, ne sçauroit augmenter
Le comble du malheur qui vous fait lamenter.
   Quel bien esperez-vous aux rives tenebreuses,
Eternel compagnon des ames malheureuses,

Que vous n'ayez ici ? Ne souffrez-vous autant
Que vous pourriez souffrir sur l'Acheron estant ?
Qu'est-ce qui vous asprist ? quelle fureur vous pique
De vouloir devaler au marez Plutonique ?
Est-ce pour ne voir plus ce beau jour escarté ?
Vos yeux perdent du jour l'amiable clarté.
Est-ce pour vous priver du royal diadéme ?
Pour quitter vos palais ? Vous en privez vous mesme.
Est-ce pour vous bannir loin de vostre païs,
Loin de femme et d'enfans ? Vous les quittez haïs :
Vostre sort inhumain de cela vous delivre.
Partant vous ne devez vous lamenter de vivre.
Car la vie vous oste autant que le trespas
A coustume d'oster à ceux qui vont là bas.
Quel bien vous peut donner cette mort souhaittee ?
Qu'aurez-vous plus estant une ame Acherontee ?

EDIPE.

Je me veux separer moymesme de mon corps :
Je me fuiray moymesme aux Plutoniques bords :
Je fuiray ces deux mains, ces deux mains parricides,
Ce cœur, cest cstomac, ces entrailles humides
Horribles de forfaits, j'esloigneray les cieux,
L'air, la mer et la terre, edifices des Dieux.
    Puis-je encore fouler les campagnes fecondes
Que Cerés embellist de chevelures blondes ?
Puis-je respirer l'air ? boire l'eau qui refuit ?
Et me paistre du bien que la Terre produit ?
Puis-je encore, polu des baisers d'Iocaste,
De ma dextre toucher la tienne qui est chaste ?
Puis-je entendre le son, qui le cœur me refend,
Des sacrez noms de pere et de mere et d'enfant ?
    Las ! dequoy m'a servy qu'en la nuict eternelle
J'aye fait amortir ma lumiere jumelle,

Si tous mes autres sens egalement touchez
De mes crimes, ne sont, comme mes yeux, bouchez ?
 Il faut que tout mon corps pourrisse sous la terre,
250 Et que mon ame triste aux noirs rivages erre,
Victime de Pluton. Que fay-je plus ici
Qu'infecter de mon corps l'air et la terre aussi ?
 Je ne voyois encor la clairté vagabonde
Du jour, et je n'estois encores en ce monde,
255 Les doux flancs maternels me retenoyent contraint,
Qu'on me craignoit desja, que j'estois desja craint.
Aucuns sont devorez de la Parque severe
Si tost qu'ils sont sortis du ventre de la mere :
Mais las ! je n'en estois encore à peine issu,
260 Voire je n'estois pas de ma mere conceu
Que ja desja la mort me brandissoit sa darde,
Lors trop prompte à m'occire, et ores trop musarde.
On arresta ma mort (miserable) devant
Que je fusse animé, que je fusse vivant.
265 O l'estrange avanture ! un pere veut desfaire
Son petit enfançon premier que de le faire,
Devant que l'engendrer, et commande tuer
Celuy qui le devroit vivant perpetuer :
Las ! il craint le contraire, et son ame timide
270 Pense que cet enfant sera son homicide.
 Ainsi, devant que naistre, ains devant qu'estre faict,
J'estois ja crimineux d'un horrible forfaict :
J'estois ja parricide, et ma vie naissante
D'un sort contraire estoit coupable et innocente.
275 Je fus mis au supplice aussi tost que je peu
Gouster l'air de ce monde et que j'en fus repeu.
On me perça les pieds d'une broche flambante,
Et haut on me pendit en la forest mouvante
Du pierreux Cithéron, au sommet d'un rocher,
280 Pour nourrir les corbeaux de ma tendrette chair.

Mais, helas ! le Destin, nuisiblement propice
A mon futur malheur, m'arracha du supplice,
Me preservant pour l'heure, à fin que d'un poignard
J'ouvrisse un jour le sein de mon pere vieillard,
85   Que je devois meurtrir par la voix prophetique,
Trop veritable, helas ! de l'oracle Delphique.
Or l'ay-je massacré de cette dure main,
Vrayment dure et cruelle, et l'empire Thebain
J'ay conquis par sa mort, ornant la mesme dextre
90   Qui l'ame luy tolut, de l'honneur de son sceptre.
     Encor ne fust-ce tout : car le ciel me voulant
Accabler de mesfaicts, et les accumulant
Par monceaux entassez, me feit (ô chose infame !)
L'incestueux mary de ma mere, sa femme.
95   Quel Scythe, quel Sarmate, et quel Gete cruel,
Despouillé de raison, commit onc rien de tel ?
J'ay ma dextre lavé dans le sang de mon pere,
J'ay d'inceste polu la couche de ma mere,
J'ay produit des enfans en son ventre fecond,
00   Qui freres et enfans tout ensemble me sont.
     Ores j'ay tout quitté, fors toy, mon Antigone,
J'ay laissé femme, enfans, et de Thebes le throne,
Le loyer de mon crime, helas ! mais aujourd'huy
Voyla ma geniture en bataille pour luy.
05   Le frere veut du frere et le bien et la vie,
Tant ils ont de regner une bruslante envie,
Tant ce desir les ronge, et ceste authorité
Les contraint de forcer tout droict de pieté.
     Ce malheur est conjoinct au sceptre Agenoride,
10   De s'acquerir tousjours avecque parricide :
Aussi mes deux enfans y courent acharnez,
Comme Lyons griffus au combat obstinez.
Polynice se plaint que son frere luy vole
Son droit, et le fraudant, sa promesse viole :

315   Invoque le secours des grands Dieux colerez
       Contre ceux qui les ont en serment parjurez :
       A faict armer, banny, pour la querelle sienne
       Les Gregeoises citez, la jeunesse Argienne :
       Veut forcer son germain, qui ne luy veut ceder
320   Le royaume usurpé, qu'il veut seul posseder.
              Le terroir Cadmean fourmille de gendarmes,
       Tout est plein de chevaux, de dards, de feux, de larmes,
       De plaintes et de cris : le laboureur s'enfuit,
       Tout ce bord retentist de tumulte et de bruit.

                        ANTIGONE.

325   Quand vous n'auriez, mon pere, autre cause de vivre
       Que pour Thebes defendre et la rendre delivre
       Des combats fraternels, vous ne devez mourir,
       Ains vos jours prolonger pour Thebes secourir :
       Vous pouvez amortir cette guerre enflammee,
330   Seul vous avez puissance en l'une et l'autre armee :
       Des mains de vos enfans vous pouvez arracher
       Le fer desja tiré pour s'entredehacher.
       Vous pouvez arrester la fureur qui chemine,
       Comme un ardant poison, par leur chaude poitrine,
335   Et de vostre patrie esloigner les dangers
       Qui la vont menassant de soudars estrangers :
       La mettant en repos, et comme d'une corde
       Serrant nos cœurs unis d'une sainte concorde.
       Vivez donc, je vous pry, vivez doncques pour nous,
340   Si vivre desormais vous ne voulez pour vous :
       Vostre vie est la nostre, et qui l'auroit ravie,
       Auroit ravi de nous et d'un chacun la vie.

                         EDIPE.

       Que ces maudits enfans ayent respect à moy ?
       Qu'ils desarment leurs mains, et se gardent la foy ?

45 Les traistres, les mechants, affamez de carnages,
Confits en cruautez, en fraudes et outrages,
D'empires convoiteux, ne sçauroyent faire bien,
Dignes de moy, leur pere, et du lignage mien.
Ils sont plongez en mal, leur esprit ne propose
50 Qu'ourdir et que tramer toute execrable chose.
Leur esprit n'est poussé que de toute fureur,
La crainte des grands Dieux ne leur donne terreur,
Ils ne reverent rien, la honte paternelle,
Ny l'amour du pays ne leur est naturelle :
55 Ils s'entremeurtriront, si la bonté des Dieux
Ne retient aujourd'huy leur glaive furieux.
C'est pourquoy me convient souhaiter que je meure,
C'est pourquoy trop long temps au monde je demeure,
Estant près de souffrir, differant mon trespas,
60 De pires passions que je ne souffre pas.

ANTIGONE.

Par vos cheveux grisons, ornement de vieillesse,
Par cette douce main tremblante de foiblesse,
Et par ces chers genoux que je tiens embrassez,
Ce mortel pensement, je vous prie, effacez
65 De vostre ame affligee, et laissez cette envie
De mourir, où le sort trop cruel vous convie.
Vivez tant que Nature ici vous souffrira,
Puis recevez la mort quand elle s'offrira :
Elle vient assez tost, et jamais ne ramene
70 Une seconde vie en la poitrine humaine.

EDIPE.

Ma fille, leve toy, tu me transis le cœur,
Ton louable desir sera du mien vainqueur :
Appaise ta douleur, ma chere vie, appaise
La tristesse et l'ennuy que te fait mon malaise.

375 Ces larmoyans soupirs que tu pousses en l'air
Me traversent les os et me font affoler.
Je vivray, ma mignone, à fin de te complaire,
Et traineray mon corps par ce mont solitaire
Autant que tu voudras, rien ne me peut douloir
380 Qui se face à ton gré, je n'ay autre vouloir.
Je franchiray les flots de la mer Egeane,
Je plongeray ma teste en la flamme Etneane,
S'il te plaist : et d'un roc, touchant le ciel des bras,
Je m'iray sans frayeur precipiter à bas :
385 S'il te plaist maintenant je seray la viande
D'un Lyon ravisseur, d'une Louve gourmande.
Je vivray, je mourray, selon qu'il te plaira,
Ta seule volonté ma conduitte sera.

ANTIGONE.

Vivez doncque en repos, sans que vostre pensee
390 Soit des malheurs passez desormais offensee.

EDIPE.

Je me veux reposer en cet antre cavé,
Dans ces horribles monts tristement enclavé,
Qu'un fort buisson encerne, et d'une ondeuse source
Le beau crystal errant en eternelle course.
395 Là sur un tuf assis, et du coude appuyé
J'entretiendray d'espoir mon esprit ennuyé
Que la mort secourable en brief me viendra prendre,
Et mon ame fera sur l'Erebe descendre :
Tandis, mon reconfort, que tu auras le soing
400 De me faire apporter ce qui m'est de besoing.
Or retourne à ta mere, et si tu peux l'incite
D'appaiser de ses fils la querelle maudite.

CHŒUR DE THEBAINS.

O Pere que par noms divers
L'on invoque par l'univers,
Nomien, Evaste, Agnien,
Bassarean, Emonien,
Tousjours orné de pampres verds :

Qui parmy le foudre nasquis,
Et dedans la cuisse vesquis
De Jupiter, qui te porta
Jusques à tant qu'il t'enfanta
A Nyse, qu'après tu conquis :

Qui l'ombreuse croupe du mont
Du saint Parnasse au double front
Fais retentir, et Cithéron,
Et les montagnes d'environ,
Au bruit que tes Menades font :

Quand avec les Satyres nus
Aux pieds de bouc, aux fronts cornus,
Dançant en maints follastres tours,
Celebres au son des tabours
Tes hauts mysteres inconnus.

Lors que les rebelles Geans
Gravirent aux champs Phlegreans
Contre le ciel, à grands efforts,
Gyge et Mimas tu rendis morts
Dedans les fourneaux Etneans.

Tu t'es, magnanime, vengé
Du Roy Thracien enragé :

430　　Agave et l'Edonide chœur
　　　　Ont puny Penthé ce mocqueur,
　　　　Qui ton nom avoit outragé.

　　　　Sans crainte aux Enfers tu descens,
　　　　Les Tigres te sont blandissans,
435　　Les bruyans fleuves tu flechis,
　　　　Les barbares mers tu franchis,
　　　　Leurs flots te sont obeïssans.

　　　　Ton nom s'est espandu fameux
　　　　Au Gange et Araxe escumeux,
440　　Et ton exercite pampré
　　　　Victorieux a penetré
　　　　Bien loing jusqu'aux peuples gemmeux.

　　　　Escoute pere, ô bon Denys,
　　　　Rassemble les cœurs desunis
445　　Des freres plongez en discords,
　　　　Et de nos Beotiques bords
　　　　Toutes calamitez banis.

　　　　Garde la Thebaine cité
　　　　De domestique adversité :
450　　Ta mere à Thebes te conceut,
　　　　Et ton pere à Thebes receut
　　　　Ta premiere nativité.

　　　　Icy tes Thyades, hurlant,
　　　　Vont au soir l'herbette foulant,
455　　Leurs thyrses Nyseans vestus
　　　　De vigne aux branchages tortus,
　　　　A cheveux espars sautelant.

Vien, ô vien, Evach, Agyeu,
Vien, nostre tutelaire Dieu,
Nous t'invoquons, nous te prions,
A toy, desolez, nous crions,
Chasse tout malheur de ce lieu.

Si nous recevons, ô seigneur,
De toy ce desiré bonheur,
Tandis que le ciel tournera,
Tandis que la mer flotera,
Nous chanterons à ton honneur.

ACTE II.

IOCASTE. MESSAGER. ANTIGONE.

Iocaste.

Soleil qui, gallopant par ce rond spacieux,
Illumines la terre et la voûte des Cieux,
470 Regarde par pitié, cernant ce grand espace,
Le desastreux esmoy de nostre pauvre race :
Voy qu'après tant de maux, l'un sur l'autre amassez,
D'un extreme mechef nous sommes menacez.
Thebes tombe en ruïne, et les Grecques cohortes
475 Viennent en grand'fureur pour forcer nos sept portes :
Mes enfans embrasez d'un desir enragé
D'occuper mechamment le royaume outragé
De leur vieil geniteur, taschent d'effort contraire
A s'entredespouiller du sceptre hereditaire.
480 Agave Bassaride a de son thyrse saint
L'irreverend Penthé mortellement atteint,
Penthé sa geniture, et de son sang liquide
A, cruelle, arrosé le chœur Aëdonide :
Mais le sanglant mesfait de son cœur insensé
485 De Bacchiques fureurs plus outre n'a passé.
Moy je n'ay pas esté tant seulement mechante,
Mais j'ay faict ces mechants de qui je me lamente :

Je les ay engendrez pour estre le flambeau
De cette grand'Cité prochaine du tombeau.

MESSAGER.

490 Race du vieil Creon, secourez, je vous prie,
Secourez promptement la commune patrie.
Accourez, hastez-vous, repoussez les tisons
Ja ja prests à lancer sur les toicts des maisons.
L'ennemy se presente, et cette longue plaine
495 Fourmille de soudars, que Polynice ameine,
Demandant, animeux, que l'accord convenu
Pour le sceptre Thebain luy soit entretenu.
Il a toute la Grece arrangee en bataille,
Sept divers escadrons entournent la muraille,
500 Prests de venir aux mains : secourez, defendez
Nos murs, de vos enfans contrairement bandez.

ANTIGONE.

Allons, Madame, allons, vos maternelles larmes
De leurs guerrieres mains feront tomber les armes.
Vous les pourrez rejoindre en une bonne amour,
505 Et faire qu'au Royaume ils commandent par tour.

IOCASTE.

Las, je ne sçay que faire ! à bon droict Polynice
Se plaint qu'en le chassant Eteocle jouisse
Seul du sceptre ancien, combien qu'il soit celuy
Qui le doive pretendre aussi bien comme luy :
510 Toutesfois dejetté de sa native terre,
Ja depuis trois moissons de ville en ville il erre
Miserable et chetif, jusqu'à tant qu'il s'est veu
Chez Adraste, qui l'a pour son gendre receu.
Il a des Rois voisins imploré les armees,
515 Dont il couvre aujourd'huy les campagnes Cadmees,

Pour recouvrer des mains d'Eteocle l'honneur
D'estre de nos citez legitime seigneur.
Il fait bien de vouloir ce que le droict luy donne,
Et tascher de l'avoir, mais d'une façon bonne.

520   Pour qui me banderay-je ? helas ! auquel des deux
Ma faveur donneray-je, estant la mere d'eux ?
Je ne puis plaire à l'un, sans à l'autre desplaire :
Faire du bien à l'un, sans à l'autre malfaire,
Ny souhaiter que l'un ait prospere succez,

525 Sans souhaiter aussi que l'autre l'ait mauvais.
         Tous deux sont mes enfans : mais, bien que je les aime
D'egale affection, comme mon ame mesme,
J'incline toutesfois beaucoup plus pour celuy
Dont la cause est meilleure, et qui a plus d'ennuy.

530 » On a communément pitié des miserables,
    » Et leur condition nous les rend favorables.

Messager.

Tandis qu'à lamenter vous despensez le temps,
On approche des murs les estendars flotans,
Les bataillons serrez dans la plaine herissent,

535 Comme espics ondoyans qui par les champs blondissent :
Ils reluisent du fer qui leur couvre le dos :
Le front, qui leur pallist sous les armes enclos,
Sourcille de fureur : les yeux leur estincellent,
Comme esclairs flamboyans, quand les astres querellent.

540   Ja desja la trompette esclate un son affreux,
Ja les fiers escadrons s'encourageants entr'eux
Demarchent arrangez par la plaine poudreuse,
Prests de s'entrechoquer d'une ardeur colereuse.
Voyez comme les chefs la longue picque au poing

545 S'avancent les premiers, de leurs batailles loing,
Enragez de combatre, et d'acquerre une gloire
Au danger de leur sang, par l'heur d'une victoire.

Allez, avancez-vous, il est temps, depeschez,
Vous les verrez bien tost l'un à l'autre attachez.

ANTIGONE.

50 Or allez donc, Madame, et, sans leurs armes craindre,
Abordez-les premier qu'ils viennent à se joindre :
Faites-leur choir des mains leurs targues et leurs dars,
Sacquez de leur costé leurs meurtrissants poignars
Alterez de leur sang : et, si la soif gloutonne
55 De s'entre-homicider si fort les espoinçonne
Qu'ores la reverence obeïsse au mespris,
Et leurs cœurs obstinez soyent de trop d'ire espris :
Plantons-nous au milieu des phalanges contraires,
Opposons la poitrine aux picques sanguinaires,
60 Appaisons cette guerre, ou que les premiers coups
Des freres animez se donnent contre nous.

IOCASTE.

J'iray, j'iray soudaine, et seray toute preste
D'affronter leurs cousteaux, et leur tendre la teste,
Leur tendre la poitrine, à fin que celuy d'eux
65 Qui meurtrira son frere, en puisse meurtrir deux.
    S'ils ont quelque bonté, mes pitoyables larmes
Les devront esmouvoir à mettre bas les armes :
Mais, s'ils n'en ont aucune, ils devront commencer
En moy leur parricide, et sur moy s'eslancer.

ANTIGONE.

70 Les estendars dressez par les troupes remuent,
Les scadrons ennemis sur les nostres se ruent,
L'air courbé retentist sous le fremissement
De tant de legions au combat s'animant :
Recourez, recourez à vos douces prieres,
75 Pour retarder l'effort de leurs dextres guerrieres.

Ils marchent pesamment, vous les aurez atteints,
Devant qu'entre-affrontez ils soyent venus aux mains.

IOCASTE.

Les camps vont lentement, mais les deux Capitaines
Ont pour se rencontrer les demarches soudaines.
580   Quel tourbillon de vent me portera par l'air ?
Quel Stymphalide oiseau fera mon corps voler ?
Quel Sphinx, quelle Harpye à la gorge affamee
Ira fondre au milieu de l'une et l'autre armee,
Me portant sur le dos, pour à temps m'y trouver,
585 Et vers mes fiers enfans ma priere esprouver ?

MESSAGER.

Elle court furieuse, ainsi qu'une Menade
Court au mont Cithéron, de son esprit malade :
Ou comme un trait volant par un Scythe eslancé,
Ou comme au gré du Nort un navire poussé,
590 Ou comme on voit au soir une estoile luisante
Se glissant parmy l'air courir estincelante.
      Permettent les bons Dieux que nos Princes, esmeus
De sa forçante voix, ne souillent animeux
Leurs glaives conjurez d'une mort fraternelle,
595 Ains que s'entre-embrassant ils rompent leur querelle !

CHŒUR.

    Que l'ardente ambition
    Nous cause d'affliction !
    Qu'elle nous file d'esclandre !
    Si l'alme paix ne descend
600   Sur nous peuple perissant,
    Nous verrons Thebes en cendre.

Ce malheur tousjours nous joint,
Et collé ne cesse point
De presser les Labdacides,
105 Depuis que nos anciens,
Quittant les champs Tyriens,
Beurent les eaux Castalides :

Et que Cadme poursuivit
Le faux Toreau, qui ravit
10 Sur sa blandissante crope
La belle Europe sa sœur :
Et que le cault ravisseur
La passa dedans l'Europe.

Que, las d'avoir traversé
15 Jusqu'à l'ondeuse Dircé,
Sans recouvrer la pucelle,
Ny son mugissant larron,
Fist au pied de Cithéron
Sa residence nouvelle.

20 Il bastit nostre Cité,
Et son terroir limité
Du Bœuf, nomma Bœocie :
Depuis ce temps-la tousjours
Les malheurs y ont eu cours,
25 Dont elle est ore farcie.

Depuis les monstres cruels
Y naissent continuels :
Sur la rive diapree
De Cephise un fier serpent,
30 En cent tortices rampant,
Envenima la contree.

Plus haut que les chesnes vieux
Il elevoit furieux
Sa longue teste sifflante,
635   Restant la plus part du corps
En maint et maint nœud retors,
Dessur l'herbe flestrissante.

Les champs de ses dents semez
Furent d'hommes animez,
640   Qui sortis, nouveaux gendarmes,
En bataillons ordonnez,
Aussi tost qu'ils furent nez
S'entre-occirent de leurs armes.

Ils ne firent qu'un seul jour
645   Dessur la terre sejour :
Le matin fut leur jeunesse,
Le midy leur âge meur,
Du soir la brune noirceur
Fut leur extreme vieillesse.

650   Acteon est devenu
Par son desastre, cornu :
Du Sphinx la monstreuse forme
Nous veismes à nostre mal :
D'Edip' l'inceste brutal,
655   Et le parricide enorme.

IOCASTE. POLYNICE.

IOCASTE.

Tournez vos yeux vers moy, magnanimes guerriers,
Dressez vers moy vos dards et vos glaives meurtriers,
Sacquez-les dans mon sein, dedans cette poitrine,

Qui coupable a porté la semence mutine
60 De ces maudits combats : employez les efforts
De vos robustes mains sur ce mourable corps.
     Soit vous qui accourez du rivage Argolide,
Soit vous qui descendez du fort Agenoride,
Estrangers, Citoyens, pesle-mesle visez
65 A moy, qui ay produict ces freres divisez :
Qui les ay engendrez de mon enfant, leur frere,
Encore degoutant du meurtre de son pere.
Deschirez-moy le corps, mes membres arrachez,
Et de mon tiede sang vostre soif estanchez.
70   Vous doutez ? vous tardez ? Pourquoy, ma Geniture,
Voulez-vous à demy violer la nature ?
Que ne destrempez-vous vos armes en mon flanc,
Si vous n'avez horreur de les souiller au sang
Tiré de mesme ventre, au sang de mes entrailles,
75 Vous entremassacrant au pied de ces murailles ?
Mettez les armes bas, ces armes despouillez,
Ou au sang maternel sans crainte les mouillez.
Ne soit d'aucun respect vostre main retenue,
Je vous tens le gosier et la poitrine nue :
80 Je suis entre vous deux : qui doy-je le premier
De ma pleureuse voix à la paix convier ?
Auquel m'addresseray-je ? auquel, commune mere,
D'une accolade sainte iray-je faire chere ?
C'est à vous, qui avez si longuement erré,
85 Du cher embrassement des vostres separé.
Approchez, mon enfant, que vostre main nerveuse
Renferme en son fourreau cette espee odieuse :
Fichez moy cette hache en terre bien avant,
Ostez ce grand pavois qui vous arme au devant,
90 Delacez cet armet, qui d'une longue creste
Horrible m'effroyant, vous poise sur la teste.
Decouvrez vostre face. Hé pourquoy doutez-vous,

Et vostre ardant regard eslancez à tous coups
Dessus vostre germain ? craignez-vous qu'il remue,
695 Et qu'en vous embrassant traistrement il vous tue ?
Non, non, ne craignez point, n'en ayez point de peur,
Je vous defendray bien de son glaive trompeur
Vous targuant de mon corps, lequel faudra qu'il perce
Devant que l'inhumain jusqu'au vostre traverse.
700   Que doutez-vous donc plus ? doutez-vous de ma foy ?
Auriez-vous bien, helas ! desfiance de moy ?
Moy qui suis vostre mere ?

POLYNICE.

                Après un tel parjure
De mon frere, il n'est rien qui desormais m'assure.

IOCASTE.

Retirez du fourreau ce large coutelas,
705 Reprenez la rudache et la mettez au bras,
Rebouclez vostre armet, ne vous mettez en prise
A vostre frere armé, de crainte de surprise.
    C'est à vous de lascher les armes le premier,
Qui estes cause seul de faire desfier :
710 Laissez-les, je vous pry, pour un petit d'espace,
A fin que Polynice à mon aise j'embrasse
Après son long exil : c'est mon accueil premier,
Helas ! et j'ay grand peur que ce soit le dernier.
    Desarmez-vous, enfans. Est-ce chose seante
715 De vous tenir armez, vostre mere presente ?
Luy offusquer les yeux d'un acier flamboyant,
Et aller de soudars sa vieillesse effroyant ?
Vous faites une guerre, où plus grande est la gloire
De se trouver vaincu, que d'avoir la victoire.
720 » Craignez-vous qu'on vous trompe ? Hà, qu'il vaut beau-
                        [coup mieux

» Estre trompé que d'estre aux siens fallacieux,
» Souffrir quelque forfait que le faire soymesme,
» Et perdre que ravir un Royal diadême.
     Mais ne craignez, enfans, vostre mere fera
25 Que l'un trop fraudulent l'autre ne trompera.
Je ne vien pas icy, je n'y suis pas venuë
Travailler de labeur ma vieillesse chenuë,
Pour estre le tison de vos impietez,
Mais pour fendre le roc de vos cœurs irritez.
30   Eteocle a fiché sa hache contre terre,
Jetté sa targue bas, ça donc que je vous serre
De mes bras maternels, je ne me puis souler
De vous voir, Polynice, et de vous accoler.
     O mon cher Polynice, une terre estrangere
35 A long temps retenu vostre ame passagere !
Vous avez longuement erré par les desers,
Par les rivages cois, par les vagueuses mers,
Fugitif, exilé, couru de la Fortune,
Sans secours, sans addresse, et sans retraitte aucune.
40   Las ! je n'ay, vostre mere, à vos nopces esté,
Je n'ay conduit l'espouse à la solennité :
Je n'ay pour honorer la feste nuptiale
Enfleuré le lambris de la maison royale,
Des odeurs de Sabee embasmé vostre lict,
45 Ny d'or elabouré decoré le chaslict.
     Des vostres dechassé, vous estes allé rendre
A un prince ennemy, qui vous a faict son gendre :
Et ore, après avoir si long temps sejourné
Loing de mes yeux, en fin vous estes retourné,
50 Non, comme j'esperois, au gré de vostre frere,
Mais au sac du pays, comme un prince adversaire.
     O mon fils, mon cher fils, ma crainte et mon espoir,
Que j'ay tant souhaitté, tant desiré revoir,
Vous me privez du bien que je devois attendre,

755   Nous venant assaillir au lieu de nous defendre.
      Helas ! faut-il, mon fils, mon cher fils, et faut-il
      Qu'au retour desiré de vostre long exil,
      Pour le commun esclandre en larmes je me noye,
      Au lieu que je pensois ne pleurer que de joye ?
760   Mon fils, et falloit-il ne vous revoir jamais,
      Ou en vous revoyant bannir la douce paix
      Du cœur de la patrie, et de fureur civile
      Nos peuples saccager et nostre belle ville ?
      Ainsi sans vous la guerre on ne verroit icy,
765   Ainsi vous sans la guerre on ne verroit aussi.
      La guerre vous estreint d'une si forte serre
      Qu'on ne vous peut avoir sans que lon ait la guerre.
          Mais combien que me soit vostre voyage dur,
      Venant pour saccager l'Amphionique mur
770   Et nos champs plantureux, si tressaillé-je d'aise
      De ce que je vous voy, vous embrasse, et vous baise :
      Je volle de plaisir, pourveu que vos debats
      Ne passent point plus outre, et cessent vos combats.
          Combien s'en est fallu que je n'ay veu descendre
775   Sur vous, mes deux enfans, un carnager esclandre !
      Je tremble et je fremis de la glaceuse peur
      Que vos flambans harnois m'ont coulé dans le cœur.
      Je vous pry par les flancs où neuf Lunes vous fustes,
      Et où vostre naissance, ains que naistre, vous eustes,
780   Par mes cheveux grisons, par les adversitez
      Dont vostre pere et moy sommes tant agitez,
      Et par la pieté, par le cœur debonnaire
      De la pauvre Antigone, appuy de vostre pere,
      Rechassez cette armee, et loing de nos creneaux,
785   Loing de nos belles tours destournez ces flambeaux.
      Faites marcher ailleurs vos guerrieres phalanges,
      Commandez retirer tous ces peuples estranges :
      Portez vos estendars en d'autres regions

Sans nous espouvanter de tant de legions.

90   C'est assez offensé vostre chere patrie,
Qui, les larmes aux yeux, à jointes mains vous prie :
C'est assez tourmenté vostre sejour natal,
Vous luy avez assez faict endurer de mal.
Vostre patrie a veu ses nourricieres plaines,
95 De chevaux, de harnois, et de gendarmes pleines :
Elle a veu ses coustaux reluire, comme esclairs,
D'armets estincelans, de targues, de bouclers,
Ses champs herissonner de picques menassantes,
Au lieu de beaux espics aux pointes blondissantes :
00 Elle voit ses guerets par les chevaux poitris,
Les pasteurs dechassez, et leurs troupeaux meurtris :
Les chefs au front superbe, elevez apparoistre
Sur des chars triomphans, et leurs gens reconnoistre :
Les villages flamber, les cases de Bergers
05 Servir de corps de garde aux soudars estrangers :
Et ce qui est le pire, elle voit les deux freres
L'un sur l'autre acharnez de fureurs sanguinaires,
Se chercher de la vie, et, comme Ours furieux,
Se vouloir deschirer de coups injurieux.
10   C'est la ville, mon fils, où Dieu vous a fait naistre,
Et où vous desirez l'unique seigneur estre.
Quelle bouillante rage et quel forcenement
Vous espoind de vouloir destruire en un moment
Vostre propre Royaume, et le voulant conquerre
15 Le faire saccager par des hommes de guerre ?
      Comment ? et voudrez-vous jetter pié contre-mont
Ces grands monceaux pierreux, qui sourcillent le front,
Ouvrage d'Amphion ? les riches edifices
De tant de beaux palais, decorez d'artifices ?
20 Aurez-vous, Polynice, aurez-vous bien le cœur
D'y prendre du butin, si vous estes vainqueur ?
Et aurez-vous, helas ! aurez-vous le courage

De les voir ravager, les voir mettre au pillage ?
Trainer par les cheveux les vieux peres grisons,
825 Et leurs femmes de force arracher des maisons ?
Les filles violer entre les bras des meres ?
Et les jeunes enfans mener comme forçaires,
Le col en un carcan, et les bras encordez,
Pour leurs maistres servir en plaisirs desbordez ?
830   Mais pourrez-vous encor voir la ville troublee,
De tumultes, de cris, de carnages comblee ?
Les corps des citoyens l'un sur l'autre entassez,
De travers, de biais, sans ordre entrelassez,
(Spectacle miserable !) encombrer les passages,
835 Et du sang regorgeant les rouges marescages ?
Voir ardre les maisons, et les hostes dedans
Cruellement brusler sous les chevrons ardans ?
Et brief faire un tombeau, un bucher mortuaire
De Thebes, qui vous est un bien hereditaire ?
840 Je vous pri', je vous pri', despouillez ce rancœur,
Et d'humble pieté remparez vostre cœur.

PolyNICE.

Seray-je donc tousjours errant parmy le monde ?
Traineray-je ma vie à jamais vagabonde ?
Comme un homme exilé, me faut-il à jamais
845 Mon vivre mendier de palais en palais,
Sans terre, sans moyens ? Quelle peine plus dure
Eussé-je deu porter si j'eusse esté parjure
Comme cet affronteur ? Doy-je souffrir le mal
Que devroit endurer un cœur si desloyal ?
850 Faut-il qu'il ait profit de sa fraude et malice ?
   Où se retirera l'affligé Polynice ?
Où voulez-vous qu'il aille ? Eteocle ha le bien
Du commun heritage, et ne me laisse rien.
   Qu'il jouisse de tout, qu'il ait seul le Royaume,

855 Et qu'on me baille aumoins quelque maison de chaume,
Ce sera mon palais, je me pourray vanter
D'avoir quelque manoir sans ailleurs m'absenter.
Mais je n'ay rien du tout, et me convient pour vivre,
Comme esclave habiter chez Adraste et le suivre.
360 » O que c'est chose dure et qui tourmente bien,
    » Se voir de maistre esclave, et de Roy n'estre rien !

IOCASTE.

Si vous avez desir d'estre supreme Prince,
D'avoir sous vostre main sujette une province,
Et que ne puissiez vivre exempt de royauté,
865 Laissez-là vostre frere, et sa desloyauté,
Cherchez nouveau party : ceste masse terrestre
De cent sceptres plus beaux ornera vostre dextre.
        Poussez de vos soldars les fieres legions
Dans les champs Lydiens, fertiles regions,
370 Où les fameuses eaux de l'opulent Pactole
Coulent en cent replis des rochers de Tymole :
Monstrez vos estendars aux rivages retors
Du sommeilleux Meandre, et les monstrez aux bords
Du creux Eurymedon, aux claires eaux de Xanthe,
75 Qui du mont Idean a sa course naissante.
Donnez en la Lycie, et aux champs Syriens,
D'où jadis sont issus nos peres Tyriens.
Faites bruire le fer de vos lances Argives,
Et craquer vos harnois sur les lointaines rives
80 Du Tygre Armenien, où le beau Soleil blond,
Devant qu'il soit à nous, monstre l'or de son front.
        C'est là qu'Adraste doit guider ses forces prestes,
C'est là qu'il doit pretendre à faire ses conquestes :
Là vaudra beaucoup mieux vos forces employer
85 Pour un sceptre nouveau que de nous guerroyer :
Vous y pourrez, sans crime, acquerre un diadême.

Là Thebes vous aurez, et vostre frere mesme
Suivant vos estandars, et nous qui sommes vieux,
Pour l'heur de vostre armee invoquerons les Dieux.
890   Proposez-vous aussi les douteuses issues
Des batailles souvent insperément perdues :
Combien Mars est instable, et que le sort humain
Est tousjours, mais sur tout aux combats, incertain.
Car bien que l'Achaie et l'Inachie ensemble,
895 Portant vostre querelle, en vostre camp s'assemble :
Si est-ce que tousjours Fortune y aura part,
Et que l'evenement despendra du hasard.
       Laissez donc ceste guerre, où tout est plein de doute,
Où la victoire n'est plus seure que la route,
900 Qui destruit la patrie, et saccage des Dieux,
Nos publiques patrons, les temples precieux.

POLYNICE.

Et que pour le loyer de sa fraude impudente
Il tienne le Royaume, et que moy je m'absente ?
Jamais, jamais, Madame, il faut qu'il soit puny
905 De m'avoir traistrement de ma terre banny.

IOCASTE.

Celuy est bien puni qui à Thebes commande,
Nul n'y a maistrisé sans adversité grande.
Depuis Cadme nombrez, vous n'en verrez aucun
Qui n'ait esté battu de ce malheur commun.

POLYNICE.

910 » Il n'y a tel malheur que perdre son empire.

IOCASTE.

» Qui fait guerre à son frere est encore en un pire.

POLYNICE.

De poursuivre un parjure appellez-vous malheur ?

IOCASTE.

Il est vostre germain.

POLYNICE.

Mais ce n'est qu'un volleur,
Un volleur de Royaume.

IOCASTE.

Il est plus agreable
915 Aux citoyens que vous.

POLYNICE.

Et moy plus redoutable.

IOCASTE.

Les voudriez-vous regir contre leur volonté ?

POLYNICE.

» Un peuple contumax par la force est donté.

IOCASTE.

En la haine des miens je ne voudrois pas vivre.

POLYNICE.

Ne regne qui voudra de haine estre delivre.
920 » Car avec le Royaume est la haine tousjours,
» Tousjours elle se voit dans les royales Cours :
Et croy que Jupiter sur les Cieux ne commande,
Sans estre mal-voulu de la celeste bande.
Ne me chault de me voir de mes peuples haï,
925 Moyennant que je sois et craint et obeï.

IOCASTE.

» C'est une grande charge, un faix insupportable.

POLYNICE.

» Il n'est rien de si doux, ny de si delectable.
Pour garder un Royaume, ou pour le conquerir
Je ferois volontiers femme et enfans mourir,
930   Brusler temples, maisons, foudroyer toute chose :
Bref il n'est rien si saint que je ne me propose
De perdre mille fois, et mille fois encor,
Pour me voir sur la teste une couronne d'or.
» C'est tousjours bon marché, quelque prix qu'on y mette.
935 » Nul n'achette trop cher, qui un Royaume achette.

CHŒUR.

Fortune, qui troubles tousjours
Le repos des Royales cours,
Balançant d'une main trompeuse
Sur la teste d'un Empereur
940   Le trop variable bon-heur
D'une couronne glorieuse :

Toutes grandeurs tu vas plaçant
Sur un rocher apparoissant,
Environné de precipices,
945   Prestes de cheoir au premier vent,
Qui les atterre plus souvent
Qu'il ne fait les bas edifices.

» Sans fin les Rois sont agitez
» De diverses adversitez,
950 » Le soing et la peur ne les lasche :
» Ils ne reposent nullement.
» Car il leur semble à tout moment
» Que la couronne on leur arrache.

» La mer aux deux Syrtes flottant
» Les ondes ne boulverse tant,
» Et Scylle si fort ne tempeste
» Un navire de ses abois
» Que la peur tourmente les Rois
» Des soupçons qu'ils ont en la teste.

» Ils vont redoutans leurs voisins,
» Ils craignent leurs sujets mutins,
» La peur en leur ame est empreinte :
» Ils veulent que d'eux on ait peur,
» Et toutesfois tremblent au cœur
» S'ils voyent que l'on en ait crainte.

Nous ne voyons nos Rois Thebains
Plus amis pour estre germains :
L'ambition qui les commande,
Ne permet qu'en sincere amour
Ils tiennent le sceptre par tour,
Et que l'un à l'autre le rende.

L'un le retient à son pouvoir,
L'autre s'efforce de l'avoir :
Ce pendant le peuple en endure,
C'est luy qui porte tout le faix.
Car encor qu'il n'en puisse mais,
Il leur sert tousjours de pasture.

Mars dedans la campagne bruit,
Nostre beau terroir est destruit :
Le vigneron quitte la vigne,
Le courbe laboureur ses bœus,
Le berger ses pastis herbeus,
Et le morne pescheur sa ligne.

ACTE III.

MESSAGER. IOCASTE. ANTIGONE. HEMON.

MESSAGER.

O Thebes miserable ! ô Royauté comblee
985 D'adversité cruelle aujourdhuy redoublee !
Ah rancœur fraternelle !

ANTIGONE.

Hé mon ami, pour Dieu
Ne passe point plus outre, ains t'arreste en ce lieu.
Demeure, où refuis-tu ?

IOCASTE.

Las ! je tremble de crainte.

ANTIGONE.

Dy nous, dy, je te pri', la cause de ta plainte.

MESSAGER.
990 Tout est perdu.

ANTIGONE.
Bons Dieux !

IOCASTE.
Hà pauvre femme !

ANTIGONE.
Helas !

IOCASTE.
Helas, que ferons-nous !

ANTIGONE.
Ne vous desolez pas,
Madame, moderez la douleur de vostre ame,
Moderez vostre dueil, moderez-le.

IOCASTE.
Je pasme.
Hà ma fille !

ANTIGONE.
Hà madame !

IOCASTE.
Hé hé, que ferons-nous ?

ANTIGONE.
Las ! c'est tout un pour moy, je n'ay soin que de vous,
Je ne plains que vous seule.

IOCASTE.
Et moy, que vous, m'amie.

ANTIGONE.
Sans vous je voudrois estre en la salle blesmie
Du Roy Tartarean.

IOCASTE.
Il m'y faut devaler.

ANTIGONE.
Mais plustost nous devons nous entre-consoler.

IOCASTE.
1000   Eteocle est donc mort ?

MESSAGER.
Aussi est Polynice.

IOCASTE.
Hà chetive vieillesse ! aumoins que je les veisse.

ANTIGONE.
Sont-ils morts au combat en hommes belliqueux ?

MESSAGER.
Ils sont morts au combat, mais il n'y avoit qu'eux.

IOCASTE.
Se sont-ils combatus ?

MESSAGER.
De lance et coutelace.

ANTIGONE.
1005   Et s'entre-sont tuez ?

MESSAGER.
Tous deux dessur la place.

IOCASTE.
O pauvre mere, helas !

ANTIGONE.

Soudart, je te supply,
Fay nous de cet esclandre un discours accomply.

MESSAGER.

Ja Mars s'allentissoit, et la creuse trompette
Sonnoit de toutes parts la sanglante retraitte :
Tout sentoit le carnage, et la campagne estoit
Ensevelie au sang, qui par ondes flotoit
Sur les corps encombrez, que l'orageuse foudre
Du bouillant Mars avoit renversez sur la poudre.
    Le belliqueux Tydee à terre gisoit mort,
Le preux Hippomedon recevoit pareil sort,
Le vaillant Capanee, Acron et Menecee,
Amphiaree, Actor, le courageux Hypsee,
Et tant d'autres guerriers de l'un et l'autre camp,
Qui gisoyent par monceaux estendus sur le champ :
Quand Polynice, espoind d'un regret miserable
De se voir de la mort de tant d'hommes coupable,
Adraste va trouver et l'arraisonne ainsi.
    Je suis cause tout seul de cest esclandre ici,
Mon pere, et pour moy seul tant d'ames genereuses
Vont maintenant trouver les rives tenebreuses :
Je veux venger leur mort sur moymesme, sur moy,
Ou sur ce faux Tyran violateur de foy :
A fin que de nous deux, leurs communs homicides,
Ne se puissent douloir les femmes Argolides.
    Il eust bien mieux vallu, je le connois trop tard,
Que j'eusse en ma personne entrepris ce hasard,
Premier qu'en bataillons les troupes ordonnees
De contraires fureurs se fussent moissonnees,
Et tant de braves chefs outrepercez de coups
Fussent trebuschez morts le visage dessous.
Mais puisque je ne puis cette faute desfaire,

Aumoins ores je veux m'esprouver à mon frere :
Je m'en vay le combatre. Adieu, prenez souci
De l'honneur de ma tombe, et de ma femme aussi.

1040   Ces propos achevez, il rendosse ses armes,
Laissant Adraste là, qui fondoit tout en larmes,
Comme on voit au printemps que Rhodope le mont,
Couvert de neige blanche, en cent ruisseaux se fond :
Il franchist son cheval, qui, le frein dans la bouche,

1045   Battant du pié la terre, attend qu'on l'écarmouche :
Puis le piquant alaigre, eslancé de douleur,
Le visage terni d'une palle couleur,
Les yeux estincelans d'une rage allumee,
Se va planter au pied de la cité Cadmee.

1050   Appelle à haute voix Eteocle, et voyant
Que nul ne descendoit sur le camp poudroyant,
S'appuye de sa lance, et de ses yeux mesure
Un lieu capable et propre à leur guerre future.

        Eteocle tandis dans le temple prioit

1055   Ses tutelaires dieux, et leur sacrifioit,
Quand Ephite accouru, l'estomach hors d'haleine,
Et le poumon battant, luy dist à grande peine,
(Ainsi l'ay-je entendu) Laissez, Sire, ces vœux,
Et ne vous amusez aux entrailles des bœux,

1060   Il n'est temps de vaquer à faire sacrifice :
Voyla devant les murs l'indigné Polynice,
Qui vous somme au combat, hastez-vous de sortir,
Il veut vos differents par le fer departir.

        A ces mots il s'enflamme, ainsi qu'en un bocage

1065   On voit un fier Toreau s'enflammer le courage,
Oyant dans un vallon bugler son ennemi :
Il leve haut la teste, et boursoufflant parmi
L'espais d'un fort buisson, courageux se presente
Au devant du troupeau, que sa rage espouvante.

1070   Eteocle en la sorte, outré dedans le cœur,

Souffle par les nazeaux la rage et le rancœur :
Le feu luy sort des yeux, le front luy devient palle,
Et le sang retiré dans le sein luy devalle.
On luy couvre le corps d'un acier flamboyant,
On luy met sur la teste un armet effroyant :
Son coursier on ameine, où d'alaigresse promte
Avec un ris amer sans avantage il monte :
Il empoigne une lance au fer bien aceré,
Son espee on luy donne et son pavois doré :
Puis il se jette aux champs, et, près de Polynice,
D'une juste carriere il entre dans la lice.

    Le peuple Agenoree accourt de toutes pars,
Grimpe dessus les tours et dessur les rempars,
Tout le monde lamente, et les larmes coulantes
Arrosent d'un chacun les faces blesmissantes.

IOCASTE.

Helas ! ma fille helas ! que faisoyent lors nos pleurs ?
Que ne larmoyons-nous nos aigrissans malheurs ?

MESSAGER.

Les vieillars recourbez et les meres chenues,
Outrageant leurs cheveux et leurs poitrines nues,
Pleuroyent d'avoir trainé si longuement leurs jours,
Et se vouloyent, de dueil, precipiter des tours.

    Deux fois l'un contre l'autre envenimez coururent,
Et deux fois rencontrez s'entre-offenser ne peurent :
Polynice à la fin mist le bois dans le flanc
Du roussin d'Eteocle, et le rougit de sang.
Le cheval trebucha d'une cheute pesante,
Comme quand un sapin, battu de la tourmente,
S'eclate par le corps sur Parnasse le mont,
Et faisant un grand bruit tombe pié-contre-mont.

    Ce chevalier pensa que le fer sanguinaire

De sa lance eust plongé dans l'aine de son frere,
Saque l'espee au poing, et d'aveugle desir
Court à luy, le voyant sur la terre gesir :
Mais, comme le palfroy trop bouillant il talonne,
1105   Qui l'emporte agité du fer qui l'esperonne,
Vers le pauvre Eteocle, il tombe renversé
Sur le cheval gisant le corps outre-percé.
Ils se levent sur pieds, et l'espee en la dextre,
Et le pavois luisant dessur le bras senestre,
1110   S'attaquent l'un à l'autre avec tout leur effort,
Resolus de donner ou recevoir la mort.
      La haine et le courroux sous l'armet apparoissent,
La force et la vigueur, en se voyant, leur croissent :
Ils roidissent le corps d'une jambe avancez,
1115   Courbez sur leurs estocs, et leurs bras eslancez :
Se tirent coups de poincte, ore par la visiere,
Ore par l'estomach, d'une addresse guerriere :
S'entre-fouillent au vif, faisant à chaque fois
Le rouge sang couler au travers du harnois.
1120   Ils cherchent les defauts, decoupent les courrayes,
Se desarment le corps, et se couvrent de playes.
      Les deux camps arrangez les regardent, douteux
Qui sera le vaincueur de ce combat piteux.
      Comme quand deux Sangliers, que l'amour aiguillonne,
1125   Se viennent à choquer aux forests de Dodonne,
Ils s'amassent le corps horriblement grondans,
Se herissent le poil, escumassent des dens,
Font sonner leur machoire, et de grand'fureur portent
Dans le col ennemy les crochets qui leur sortent,
1130   Se font rougir le ventre : adonques le Pasteur
Qui d'un coustau les voit, se mussote de peur,
Fait signe à son mastin des mains et de la teste,
Qu'il se tapisse coy de crainte de la beste.
      Ainsi les deux guerriers, seul à seul bataillant,

35 D'un courage indomté s'entre-alloyent chamaillant :
Se ruoyent acharnez coups d'estoc et de taille,
Detranchoyent mainte lame et mainte forte maille,
Se marteloyent le corps, sur l'acier tempestant,
Comme deux forgerons sur l'enclume battant
40 Un fer à tour de bras, qu'on voit geindre de peine,
Se courber, refrongner, et sortir hors d'haleine.
Ou comme on voit aussi la gresle craqueter
Sur le toict des maisons, quand l'ireux Jupiter
Contre l'alme Cerés en Esté se colere,
45 Ou qu'il froisse le chef de Bacchus le bon pere.
     A la fin Polynice, à qui les lasches tours
De son frere ennemy se presentent tousjours,
Son exil vergongneux et la foy parjuree,
Se fasche qu'il ait tant contre luy de duree,
50 Grince les dents de rage, et se tenant tendu
Va de pieds et de mains, se jette à corps perdu
Contre son adversaire, et de tel effort entre
Qu'il luy met demy pied de son espee au ventre :
Le sang en sort fumeux, comme sur un autel
55 Le sang d'un aigneau fume après le coup mortel
Que le prestre sacré dans la gorge luy donne.
     Eteocle pallist, devient foible, et s'estonne
De voir son sang couler d'une telle roideur :
Il sent glacer son front de mortelle froideur,
60 Ses genous trembloter, toutefois il essaye
Avec son peu d'effort, d'apparier sa playe
Sur le corps de son frere : il le suit et resuit,
Et l'autre, en le moquant, se destourne et le fuit.
     Ce pendant il se lasse, et n'a plus de puissance
65 De supporter son corps : il perd toute esperance :
Il tombe renversé, ses armes font un bruit,
Et ses yeux sont voilez d'une effroyable nuit.

IOCASTE.

O miserable femme !

ANTIGONE.
O fille infortunee !

IOCASTE.

O detestable jour !

ANTIGONE.
O maudite journee !

MESSAGER.

1170 Polynice, asseuré d'avoir du tout vaincu,
Jette l'espee à bas, à bas jette l'escu,
Se desarme le corps de sa forte cuirace :
Puis, elevant au ciel les deux mains et la face,
Rend grace aux immortels, d'une gaye ferveur,
1175 De luy avoir donné ce jourdhuy leur faveur.
Approche d'Eteocle, et pensant qu'il deust estre
Du tout desanimé, comme il faisoit paroistre,
Luy veut, comme vaincueur, le harnois arracher :
Mais ainsi que, mal-sage, il vient à se pencher,
1180 Courbé dessur la face, et les genous à terre,
Son frere, le guignant, tout le reste reserre
De sa force escoulee, et, s'animant le cœur
Et les nerfs languissans de sa vieille rancœur,
Sa vengeresse espee en l'estomach luy plante,
1185 Puis vomist, trespassant, son ame fraudulente.
    Polynice du coup se sentant affoibly,
Et son ame noüer dans le fleuve d'Oubly,
Dit avec un sanglot qu'il poussa des entrailles :
    Tu vis donc, desloyal, et encore batailles
1190 De ruse et de cautele ! allons allons là bas

Aux lices de Pluton achever nos combas.
A ces mots il tomba sur le corps de son frere,
Meslant son tiede sang de son sang adversaire.

IOCASTE.

Dires du creux Tenare, élancez-vous sur moy,
95 Sur moy qui fay troubler de nature la loy,
Sur moy qui ay produit ceste guerre funeste,
Produisant ces enfans d'un execrable inceste.
   J'ay, malheureuse, Edipe et d'Edipe conceu :
J'ay mon enfant, ô crime ! en ma couche receu,
00 Mon enfant parricide, et la dextre ay baisee
Que mon espoux avoit de son sang arrosee.
   Que pouvoit, que devoit estre au monde produit
D'un execrable Hymen qu'un execrable fruit ?
Ils se sont massacrez d'une horrible furie :
05 Des yeux de mon mary la lumiere est perie,
Qui, non contant de fuir la celeste clarté,
S'est de Thebes banny, s'est de nous escarté.
   A cette heure Creon trouvant le thrône vuide,
Sans peine usurpera le sceptre Agenoride :
10 Et nous, sexe imbecile, esclaves servirons
Sous le joug d'un tyran, sinon que nous mourons :
Mais j'aime mieux mourir, encore que tardive
La mort pour mon bon-heur doresnavant m'arrive :
Et que je deusse, helas ! si le ciel l'eust voulu,
15 Mourir auparavant que mon corps fust polu
Du sale embrassement de vous, ma Geniture,
De vous, Edipe, autheur des malheurs que j'endure.
   Mais, ô ma chere fille, accompagnez ses pas,
Et ne l'abandonnez jusqu'au dernier trespas :
20 Les Dieux ne permettront qu'un faict si debonnaire
Passe inutilement sans un juste salaire :
Ains le recognoistront, et vostre pieté

12

Florira celebree en immortalité.

     Moy, je m'en vay descendre aux caves Plutoniques,

1225 Pour refraischir les pleurs de nos malheurs antiques.
Ja de long temps je porte en mon sein douloureux
Ce poignard pour donter mon destin rigoureux.

ANTIGONE.

Dieux ! qu'est-ce que je voy ?

IOCASTE.

     Un poignard salutaire.

ANTIGONE.

Salutaire ? et comment ?

IOCASTE.

    Pour sortir de misere.

ANTIGONE.

1230 O Jupiter ! ô ciel ! que dites-vous ? bons Dieux !
Que vous ferez mourir ?

IOCASTE.

     Que puis-je faire mieux ?
Quel remede à mon dueil, à ma langueur extreme,
Que d'avancer mon jour et mon heure supreme ?
Vien, ô vien, chere Mort, vien tost me secourir.

ANTIGONE.

1235 Je ne permettray pas que vous faciez mourir.
Ça, ce glaive outrageux, il convient que je l'aye.

IOCASTE.

Non, non, je veux chercher, je veux trouver mon Laye
Au silence d'Erebe. O Laye, ô mon espoux,

Ne me refusez point d'errer avecques vous
240 Sur les rivages noirs, mon offense est nettie
En vous sacrifiant mon ame pour hostie.

ANTIGONE.

Hé Madame, pour Dieu, ne me vueillez laisser !

IOCASTE.

Ma fille, ne vueillez ma volonté presser.

ANTIGONE.

C'est pour vous destourner d'un propos dommageable.

IOCASTE.

245 Mais pour me destourner d'un repos profitable.

ANTIGONE.

Si je fis jamais rien qui fust à vostre gré,
Si à vous obeïr j'ay mon cœur consacré,
Et si mon pere vieil en ses langueurs je guide,
Je vous supply, laschez cette dague homicide,
250 Et vostre ame purgez du desir qui l'espoind :
Vivez, vivez, Madame, et ne vous tuez point.

IOCASTE.

Au contraire, si onc vostre cœur pitoyable
A vostre pere et moy fut jamais agreable :
Si vous m'avez tousjours obeissante esté,
255 Ne vueillez maintenant forcer ma volonté.

ANTIGONE.

Voulez-vous que j'approuve une chose mauvaise ?

IOCASTE.

Voulez-vous reprouver un dessein qui me plaise ?

ANTIGONE.

Je ne vous puis complaire en ce mortel desir.

IOCASTE.

Rien que la seule mort ne me donne plaisir.

ANTIGONE.

1260 Si la mort vous plaist tant, si cette frenesie
Est tellement empreinte en vostre fantaisie
Qu'il vous faille mourir, je mourray donc aussi.
Descendriez-vous là bas, moy demeurant ici ?
Je ne vous lairray point, ains je suivray vostre Ombre,
1265 Sa compagne eternelle en la demeure sombre.

IOCASTE.

Non non, vivez, ma fille, et pourquoy mourrez-vous ?
Les Dieux sur vostre chef ne dardent leur courroux
Comme sur moy chetive : et leur douceur, peut estre,
Comme à moy leur rigueur, ils vous feront cognoistre.

ANTIGONE.

1270 Je ne veux vous survivre, ains veux que ce poignard
Vostre cœur et le mien perce de part en part.

IOCASTE.

En la fleur de vos ans ?

ANTIGONE.
                    Laisseroy-je ma mere ?

IOCASTE.

Laisserez-vous plustost vostre langoureux pere,
Solitaire, affligé d'incurables ennuis,
1275 Ayant les yeux plongez en tenebreuses nuicts ?

ANTIGONE.

Hé, que feray-je donc ? ô l'estrange destresse !
Je ne puis estre à l'un que l'autre je ne laisse :
Si ma mere je suy, desourdissant mes jours,
Mon pere je lairray despourveu de secours.
1280 Auquel m'adresseray-je ? et auquel, ô pauvrette,
Suis-je plus attenue et suis-je plus sugette ?
Tous deux je les honore en un devoir egal,
Mais l'un d'eux veut mourir, l'autre plorer son mal.
J'aimerois mieux la mort, de tant de maux outree,
1285 Et rien tant que la mort aujourdhuy ne m'agree.
Mais quoy ? mon pauvre pere en accroistroit son dueil,
Et si je ne pourrois l'enfermer au cercueil,
Son heure estant venue, et ne pourrois encore
Après les derniers mots ses deux paupieres clorre.
1290 Il faut donc, malgré moy, que je survive, helas !
Que je reste après vous, veufve de tout soulas.
O misere ! ô langueur ! ô fortune funeste !
    Madame, mon espoir, le seul bien qui me reste
Avec mon chetif pere, estoufez, arrachez
1295 Ce desir de la mort, qu'aux glaives vous cherchez.
La mort vous est prochaine, attendez sa venue,
Vostre ame ne peut guiere estre en vous retenue :
Elle viendra soudaine, et vostre corps âgé
Se verra sans effort de tourmens dechargé.
1300 N'avancez point vostre heure.

IOCASTE.

                    Elle est toute arrivee,
Ja la mortelle darde est en mon cœur gravee.
    Dieu des profonds manoirs, qui les ombres des morts
Reçois de toutes parts aux Acherontez bords,
Roy du monde noirci, pren mon ame esploree,
1305 Fuyant avec ce corps la grand'voûte azuree :

Pren mon ame plaintive, et la mets en requoy.
Elle a souffert tousjours depuis qu'elle est en moy,
Elle sort des enfers en sortant de ce monde,
Et cherche son repos en la Stygieuse onde.
1310 Vien, poignard doucereux, vien en moy te plonger,
Et me fay promptement de ce corps desloger :
Je tarde trop, craintive.

ANTIGONE.

     Et que voulez-vous faire ?
Au secours au secours, elle se veut desfaire.
Vous ne vous turez pas, je vous empescheray.

IOCASTE.

1315 Ma fille, c'est en vain, je mourray, je mourray,
Laissez-moy, laschez-moy, ma mort est resolue :
Je voy ja de Charon la teste chevelue
Et les larves d'Enfer, j'entens l'horrible voix
Du chien Tartarean hurlant à trois abois.
1320   Entre, glaive, en mon cœur, traverse ma poitrine,
Et dedans mes rongnons jusque aux gardes chemine :
Adieu, ma chere fille, or je meurs, las ! je meurs,
Soustenez-moy, je tombe.

ANTIGONE.

     O malheur des malheurs !
O desastreux encombre ! ô Royne miserable !
1325 O lugubre infortune ! ô trespas deplorable !
Hé madame, pourquoy me laissez-vous ainsi ?
Hé pourquoy mourez-vous que je ne meurs aussi ?
O rigoureux destin ! ô Parque trop cruelle !
Las, vos yeux vont noüant en la nuict eternelle :
1330 Vostre vie est esteinte, et vostre esprit dolent
Aux goufres de Tenare est ore devalant :

Une froide palleur vous ternist le visage :
Vous ne respirez plus, funebre tesmoignage.
Hé Madame, hé Madame, aumoins que j'eusse part
335 A l'homicide effort de ce rouge poignard.

     Larmoyable Erigone, après tes dures plaintes
Faittes dessur ton pere, et tant de larmes saintes
Qu'au bois de Marathon triste tu respandis,
Indulgente à ton dueil, d'un licol te pendis.
340 Ay-je moins de douleur qu'en souffrit Erigone ?
Fut-elle plus piteuse en son cœur qu'Antigone ?
Et toutesfois je vy, je vy, mais en vivant
Je porte plus de mal que la mort esprouvant.

     Voila mes deux germains morts dessur la poussiere,
345 Ma mere entre mes bras vient d'estre sa meurtriere,
Mon pere erre aveuglé par les rochers segrets,
Remplissant l'air de cris, de pleurs et de regrets :
Nostre peuple est destruit, le sceptre Thebaïde
N'ornera desormais la race Agenoride.
350 Nous avons tout perdu : ce jour, ains ce moment
Nostre antique lignage accable entierement.
Et je vy miserable ! helas voire, helas voire !
Mais je voudrois desja dans le Cocyte boire.
Je survi malgré moy, pour ces corps enterrer,
355 De peur que les mastins les aillent devorer :
Et je survis aussi, pour conduire mon pere
Et le reconforter en sa tristesse amere,
L'inhumer de mes mains, son corps ensevelir
Aussi tost que la mort me le viendra tollir :
360 Autrement autrement de mourir je suis preste,
Il n'y a que cela qui mon trespas arreste.

HEMON.

Quoy ? ma chere Antigone, aurez-vous à jamais
Vostre esprit angoissé d'un desastre mauvais ?

Ces beaux yeux que j'adore, et qui m'embrasent l'ame,
1365 Arroseront tousjours de pleurs leur douce flame ?
Quel malheur est-ce là ? qui est ce corps gisant
Que vous allez ainsi de larmes arrosant ?
Dequoy sert ce poignard en vostre dextre chaste ?

ANTIGONE.

Helas ! c'est nostre Royne, helas ! c'est Iocaste.

HEMON.

1370 Qui cause ce mechef ? ses deux enfans occis
Sont ils cause d'avoir ses vieux jours accourcis ?

ANTIGONE.

De ses fils, mes Germains, la fortune annoncee
Luy a dans l'estomac ceste dague enfoncee,
Encor moite de sang, et son esprit desclos
1375 Vagabonde, poussé de soupireux sanglots.
Suis-je pas bien perdue ?

HEMON.

Helas, ma chere vie !
Vous estes longuement du malheur poursuivie.
Je plains vostre desastre : ô que n'est vostre esmoy,
Sans vostre ame affliger, tout enclos dedans moy !
1380 Vous me navrez le cœur de vos piteuses plaintes,
Ces soupirs gemissans me sont autant d'estreintes :
Appaisez-vous, mon ame, appaisez vos douleurs.
» Un mort ne revient pas pour nos dolentes pleurs.

ANTIGONE.

Puissé-je tant plorer qu'avec les pleurs je verse
1385 Mon ame, qu'un tourment si redoublé traverse.

HEMON.

La mienne donc aussi la puisse accompagner :
Car je ne veux, mon cœur, jamais vous esloigner.
Tandis que vous vivrez je vivray, mais dés l'heure
Que vous prendra la Parque, il faudra que je meure.
90 En vous seule je vy, sans vous certes sans vous
Je trouverois amer le plaisir le plus doux.
Si vous avez du dueil, j'auray de la tristesse :
Si vous avez plaisir, j'auray de l'alaigresse.

ANTIGONE.

J'ay perdu tout esbat, je ne souhaitte plus
95 Que vivre avec mon pere en un antre reclus.

HEMON.

Vivez aux creux deserts de l'Afrique rostie
Entre les Garamants, vivez en la Scythie
Sur les Hyperborez, que les vents orageux
Chargent continument de grands monceaux neigeux,
00 J'y vivray comme vous : ny chaleur ny froidure,
Tant que vous y serez, ne me semblera dure.

ANTIGONE.

Hemon, je vous supply, destournez vostre cœur
De moy, pauvre esploree, et confite en langueur :
Mon amour est beant après la sepulture,
05 Je n'ay plus de desir que d'une tombe obscure.

HEMON.

Plustost l'ondeux Triton sur la terre naistra
Et le mouton laineux dedans la mer paistra
Que j'esteinde l'ardeur que j'ay dans la moüelle
Pour aimer saintement vostre beauté trop belle.

1410   Le jour quand Phebus marche, et la nuit quand les cieux
       Monstrent pour ornement mille astres radieux,
       Je vous ay dans mon ame, et tousjours vostre image,
       Errant devant mes yeux, me fait un doux outrage.

ANTIGONE.

       Et je vous aime aussi : mais mon affection
1415   Se trouble maintenant par trop d'affliction.
       Je n'ay dedans l'esprit que morts et funerailles.

HEMON.

       Moy, j'ay tousjours l'amour cousu dans mes entrailles.

ANTIGONE.

       Que j'ay d'adversitez !

HEMON.

                    Vous en avez beaucoup.
       » Communément les maux nous viennent tous au coup.
1420   » Mais comme après l'hiver le printemps on voit naistre,
       » Et après longue pluye un beau temps apparoistre :
       » Ainsi, quand les malheurs ont sur nous tempesté,
       » Nous devons esperer de la prosperité.

ANTIGONE.

       Je n'ay plus qu'esperer, mes liesses perdues
1425   Ne me sçauroyent, helas ! estre jamais rendues.
       » Quand la mort nous a prins, nous ne renaissons pas,
       » Nous perdons sans retour ceux qui vont au trespas.

HEMON.

       » Un chacun doit mourir, et la Parque felonne
       » De ce commun devoir ne dispense personne.

Si vostre mere âgee et vos freres sont morts,
Ce ne sont que d'Atrope ordinaires efforts :
Leur jour estoit venu, comme celuy, peut-estre,
Qui doit devant Minos nous faire comparoistre.
Car, s'il plaist à Clothon, à l'instant il faudra
Que soyons le butin de la mort qui viendra.

ANTIGONE.

Qu'elle vienne couper le filet de ma vie,
Car aussi bien je suis de ce monde assouvie,
Je ne vy qu'à regret, et sans mon geniteur
Desja m'eust ce poignard outrepercé le cœur,
Je fusse avecque vous, ma mere : hé miserable !
Je n'ay peu, je n'ay peu vous estre secourable :
Je n'ay peu destourner, je n'ay peu divertir
Vostre esprit de vouloir de sa geole sortir.
Requerez à Pluton que bien tost je vous suive,
Et qu'ici loin de vous longuement je ne vive.
Madame, hé que je baise encore ces doux yeux,
Cette bouche et ce col qui me sont precieux.
C'est la derniere fois que cette main je touche :
Las helas ! je ne puis en retirer ma bouche.

HEMON.

Mon œil, laissez ces pleurs et ces gemissemens,
Car ils ne font sinon rengreger vos tourmens.
Qu'on la porte en la ville, à fin qu'on luy procure,
Pour office dernier, royale sepulture.
C'est desormais, mon cœur, tout le besoin qu'elle a :
Tout ce qu'elle veut plus, c'est un sepulchre.

ANTIGONE.

                                        Hà là.

CHŒUR.

Tu meurs, ô race genereuse,
Tu meurs, ô Thebaine cité,
Tu ne vois que mortalité
Dans ta campagne plantureuse :
1460   Tes beaux coustaux sont desertez,
Tes citoyens sont escartez,
Dont les majeurs veirent esclorre
Sous les enseignes de Bacchus
Les premiers rayons de l'Aurore,
1465   Esclairans les Indois vaincus.

Ils veirent l'odoreux Royaume
Des Arabes industrieux :
Et les coustaux delicieux,
Où les bois distilent le baume.
1470   Ils donterent les Sabeans,
Et les peuples Nabatheans :
Ils veirent la belle contree
Des Perses et des Parthes prompts,
Et les bords de l'onde Erythree
1475   Avec les Gedrosiques monts.

Nous enfans de si preux ancestres,
Sommes presque tous accablez
Par les Argiens assemblez
Pour de nous se rendre les maistres.
1480   L'herbe s'abreuve en nostre sang,
La plaine est changee en estang,
Et de corps Thebains tapissee.
Tout ce qui est peu demeurer
De reste en la ville Dircee
1485   Ne suffist à les enterrer.

Nos chefs aux indontez courages,
Trebuschez morts devant nos murs,
Relaissent aux siecles futurs
De leur vertu maints tesmoignages.
Ils ont meslé leur sang parmy
Le sang Argolique ennemy,
Jettant leur ame avantureuse
A travers les glaives pointus,
Sans craindre la tourbe nombreuse
Des Danois, qu'ils ont combatus.

Ils ont receu pareil esclandre :
S'ils nous ont vaillans assaillis,
Nous n'avons eu les cœurs faillis,
Ny les bras gourds à nous defendre.
Ils ne sont pas plus demeurez
De nos soldats en ces guerez
Que de leur outrageuse armee.
S'ils pensent nous avoir vaincus,
C'est d'une victoire Cadmee,
Où les vainqueurs pleurent le plus.

Ce qui reste de la bataille
Est malade aux tentes gisant :
Ou n'est en nombre suffisant
Pour assaillir nostre muraille.
Polynice a bien tost suivy
Son frere, de la mort ravy
Par une playe mutuelle.
» Il n'est forcenement si grand
» Que d'une rancœur fraternelle,
» Quand la convoitise s'y prend.

ACTE IIII.

ANTIGONE. ISMENE.

ANTIGONE.

Ma chere sœur Ismene, aujourdhuy la fortune
Se monstre à nostre race asprement importune.
Quel malheur, je vous pry, peut un homme agiter
Que n'ait versé sur nous l'ire de Jupiter ?
1520 Qu'y a til de cruel que devant nos murailles
Ne remarquent nos yeux en tant de funerailles ?
Nous avons d'Iocaste enseveli le corps,
Mais nos freres germains sans tombeau gisent morts.
Prenons le soing, ma sœur, de les couvrir de terre,
1525 Attendant qu'on leur dresse un monument de pierre.

ISMENE.

Creon a promptement Eteocle inhumé,
Pour autant qu'on l'a veu pour la patrie armé,
Et qu'il est mort pour elle, avecque mille et mille
Belliqueux nourriçons de la Thebaine ville :
1530 Mais il a defendu que Polynice fust
Transporté de sa place, et que sepulchre il eust,
Comme indigne d'avoir la tombe funerale,
Après avoir faict guerre à sa ville natale :

Et veut (ô cruel cœur !) que les Corbeaux becus
35 Se gorgent de sa chair et des autres vaincus.

ANTIGONE.

Que Polynice serve aux bestes de pasture,
Sur la terre gisant privé de sepulture ?
Qu'on ne le pleure point ? que le grondeux Charon
Le face errer cent ans sans passer l'Acheron ?
40 » C'est chose trop cruelle. Il faut que toute envie
 » Et que toute rancœur meure avecque la vie.

ISMENE.

Il menace de mort ceux qui contreviendront
A sa dure defense, et l'enterrer voudront.

ANTIGONE.

Monstrons nostre bon cœur, que nostre bienvueillance
45 Surmonte de Creon la severe defense.

ISMENE.

Que ferons-nous ? Il faut au Prince obtemperer.

ANTIGONE.

Je voy bien que la peur vous fait degenerer.

ISMENE.

Regardez au danger d'une telle entreprise.

ANTIGONE.

En un affaire tel vous estes trop remise.
50 Advisez, s'il vous plaist, de venir avec moy.

ISMENE.

Je ne veux transgresser l'ordonnance du Roy.

ANTIGONE.

» D'une ordonnance injuste il ne faut tenir compte.

ISMENE.

Mais au contrevenant la peine est toute prompte.

ANTIGONE.

» Rien de grand sans danger entreprendre on ne voit.

ISMENE.

1555 » Où le danger paroist, entreprendre on ne doit.

ANTIGONE.

» Trop couard est celuy qui point ne se hasarde.

ISMENE.

J'aime mieux n'avoir mal, et vous sembler couarde.

ANTIGONE.

Regardez de rechef si me voulez aider.

ISMENE.

Je vous pri' meurement vous mesme y regarder.

ANTIGONE.

1560 Puisque vous ne voulez, j'iray donc toute seule.

ISMENE.

J'ay grand' crainte, ma Sœur, qu'en fin il vous en deule.

ANTIGONE.

Advienne que pourra, j'ay cela resolu.

ISMENE.

J'irois fort volontiers, si Creon l'eust voulu.

ANTIGONE.

Je ne veux pas trahir les manes de mon frere.

ISMENE.

65 Il est mon frere aussi, mais je ne puis que faire.

ANTIGONE.

Pourquoy ne pouvez-vous ?

ISMENE.

Pour Creon que je crains.

ANTIGONE.

Il ne peut empescher de faire actes si saints.

ISMENE.

Considerez, ma Sœur, nostre sexe imbecile,
Aux perilleux desseins de ce monde inhabile :
70 Considerez nostre âge, et repensez encor
Qu'il ne reste que nous du tige d'Agenor.
Nous sommes sans secours, l'antique bien-vueillance
Du peuple s'est tournee avecques la puissance.
Creon est obey, qui, tyran, voudroit bien
75 Déraciner du tout nostre nom ancien.
» Il faut suivre des grands le vouloir qui nous lie :
» Faire plus qu'on ne peut est estimé folie.

ANTIGONE.

Ne bougez donc, ma Sœur, ne vous avanturez,
Seule dans la maison en repos demeurez :
80 Moy, je ne souffriray qu'une Louve gourmande
Du corps de mon Germain à plaisir s'aviande.
Je l'enseveliray, deussé-je les efforts
En mes membres souffrir de cent cruelles morts :
Je ne refuseray de souffrir tout outrage,

13

1585 Si souffrir le convient, pour un si saint ouvrage.
   Après que j'auray faict, je n'auray point de dueil
   D'estre avecque luy mise en un mesme cercueil :
   Vous en requoy vivez, vivez tousjours heureuse.

ISMENE.

Je ferois comme vous, mais je suis trop peureuse.

ANTIGONE.

1590 Cette peur vous provient de faute de bon cœur.

ISMENE.

Ce n'est pas de cela que procede ma peur.

ANTIGONE.

Dequoy donc, je vous pry ?

ISMENE.

      D'une foible nature,
Qui revere les loix.

ANTIGONE.

   La belle couverture !
Et bien bien ne bougez, je vay l'ensevelir.

ISMENE.

1595 Hé Dieux, où allez-vous ? vous me faites pallir,
   Je n'ay poil sur le chef qui d'effroy ne herisse.

ANTIGONE.

Je vay sepulturer mon frere Polynice.

ISMENE.

Aumoins gardez-vous bien de vous en deceler :
Quant à moy, je n'en veux à personne parler.

ANTIGONE.

oo   Parlez-en à chacun, je veux bien qu'on le sçache.
» Il ne faut que celuy qui ne fait mal, se cache.

ISMENE.

Que vous estes ardente à vous brasser du mal.

ANTIGONE.

Mal ou bien, il aura son honneur funeral.

ISMENE.

Ouy bien si vous pouvez, mais ce n'est chose aisee.

ANTIGONE.

o5   Y taschant, je seray du surplus excusee.

ISMENE.

» Ce que lon ne peut faire, entreprendre on ne doit.

ANTIGONE.

» Entreprendre il nous faut tout ce qui est de droit.

ISMENE.

» Le droit est d'observer ce que le Roy commande.

ANTIGONE.

Il faut tousjours bien faire, encor qu'il le defende.

ISMENE.

10   Mais il a Polynice ennemi declaré.

ANTIGONE.

Voire après qu'il s'est veu de son sceptre emparé.

ISMENE.

Je vous supply, laissez cette emprise douteuse,
Pour un qui ne vit plus.

ANTIGONE.

                    Que vous estes fascheuse !
Laissez-moy, je vous prie, en ma temerité,
1615 Vostre propos ne m'est qu'une importunité.
Mon dessein est louable, et ne m'en peut ensuivre
Autre mal que me voir de mes langueurs delivre
Par une belle mort, qui des tombeaux obscurs
Fera voler mon nom jusque aux siecles futurs.

ISMENE.

1620 Or allez de par Dieu, le bon-heur vous conduise,
Et tourne à bonne fin vostre sainte entreprise.

CHŒUR.

Le Ciel retire de nous
        Son courroux,
Et nous est ores propice :
1625 Nous devons pour le bienfait
        Qu'il nous fait,
Aux Immortels sacrifice.

De nos murs ils ont eu soing
        Au besoing,
1630 La main ils nous ont tendue :
Nostre cité ne fust point
        En ce poinct,
S'ils ne l'eussent defendue.

Qui eust Capanee, estant
635   Combattant
Sur la breche démuree,
Bouleversé mort à bas,
   Sans le bras
Du foudroyant fils de Rhee ?

640 Sous l'escu qui le targoit,
   Se mocquoit
Des feux et fleches volantes,
Que lançoyent de toutes pars
   Nos soudars
645 Sur ses armes flamboyantes.

Il les alloit en passant
   Terrassant,
Comme un sanglier qui traverse
Quelques escadrons mutins
650   De mastins,
Qu'il abat à la renverse.

Ou comme dedans un pré
   Diapré
Le faucheur fait tomber l'herbe,
655 Et les espics trebuchants
   Par les champs,
Qu'il entasse en mainte gerbe.

Quand Jupiter l'avisant
   Destruisant
660 Thebes de son malheur preste,
Print son rouge foudre en main,
   Et soudain
Luy en escrasa la teste.

Voyant Amphiare aussi
1665   Sans merci
Nous faire un mortel esclandre,
Le fist pour nous garantir
                    Engloutir
Et vif aux Enfers descendre.

1670   Ainsi des bons Dieux sauveurs
                    Les faveurs,
Et non la prouesse humaine,
Nous ont gardé maintenant,
                    Soustenant
1675   La pauvre ville Thebaine.

            » Aux Dieux l'on trouve tousjours
            »   Du secours :
            » Ils president aux batailles,
            » Ils repoussent les efforts
1680   »   Des plus forts,
            » Et preservent nos murailles.

A jamais leur soit l'honneur
                    Du bon-heur
Qu'ils nous donnent de leur grace :
1685   Que tous les ans au retour
                    De ce jour
Un sacrifice on leur face.

Nos ennemis foudroyez,
                    Effroyez,
1690   Courent eslancez de crainte :
Laissant par ces rudes monts,
                    Vagabonds,
De leur sang la terre teinte.

Ils n'ont enterré les corps
695   De leurs morts,
Tant la froide peur les presse :
En danger que des Vautours
         Et des Ours
La gloute faim s'en repaisse.

Ils marchent sans estendars
700   Tous espars :
Ils n'osent lever la teste,
Envergongnez de se voir
         Recevoir
705 La perte au lieu de conqueste.

CREON. CHŒUR DE VIEILLARDS.
LES GARDES DU CORPS DE POLYNICE.
ANTIGONE. ISMENE. HEMON.

CREON.

Grace aux Dieux immortels qui de nous ont eu soing,
Et nous ont de faveur assistez au besoing,
Nos ennemis rompus se sont jettez en fuitte,
Quittant honteusement nostre terre destruitte.
710 La campagne sanglante est couverte de morts :
Cephise va pourprant ses rivages retorts
De divers sang meslé, qui colore ses ondes,
Ainsi que de Cerés les chevelures blondes.
      Ils avoyent amené les peuples Argiens,
715 Les troupes de Megare, et les Myceniens :
Les bandes d'Achaïe à nos murs se camperent,
Et d'innombrables dards nos tours espouvanterent.
Adraste, leur grand Roy, s'estoit desja promis
De voir son Polynice en son thrône remis,

1720 Pour commander de force, et presser de servage
Le peuple Ogygien, d'indontable courage.
Mais luy mesme, tombant, a la terre mordu :
Luy mesme reste mort sur la plaine estendu :
Les corbeaux se paistront de sa chair, qui n'est digne
1725 Du tombeau de Cadmus, dont le mechant forligne.
Il a, plein de fureur, son peuple guerroyé,
Et de flamme et de fer le pays foudroyé :
Son nom doit estre infame à la race future,
Et son corps execré pourrir sans sepulture.

1730   Or moy, comme celuy qui plus proche de sang
Du malheureux Edip', viens regner en mon rang,
J'ay par publique edict fait expresse defense
D'inhumer ce mechant : que si aucun s'avance
De faire le contraire et enfreindre ma loy,
1735 S'asseure d'esprouver le colere d'un Roy.
    Je jure par le ciel qui ce monde environne,
Par cet honoré sceptre, et par cette couronne,
Que si aucun Thebain j'y voy contrevenir,
Sans espoir de pardon je le feray punir,
1740 » Fust-il mon enfant propre. Une ordonnance est vaine,
 » Si l'infracteur d'icelle est exempt de la peine.
    J'ay des gardes assis sur les coustaux d'autour,
Qui les corps ennemis veilleront nuict et jour :
Car quant aux citoyens qui ont vomy leur vie,
1745 Combattant valeureux pour leur chere patrie,
Je veux qu'on les regrette, et qu'en publiques pleurs
Les ensepulturant lon chante leurs valeurs.

CHŒUR DE VIEILLARDS.

Vous voulez qu'un chacun ait son juste sallaire :
Les uns de faire bien, les autres de malfaire.

CREON.

750 » Toute principauté en repos se maintient,
» Quand on rend à chacun ce qui luy appartient.
» Il faut le vicieux punir de son offense,
» Et que l'homme de bien le Prince recompense.
» La peine et le loyer sont les deux fondemens,
755 Et les fermes piliers de tous gouvernemens.

CHŒUR DE VIEILLARDS.

Vous plaist-il commander encores quelque chose ?

CREON.

Qu'à garder mon edict un chacun se dispose.

CHŒUR DE VIEILLARDS.

Qui sera si hardy que pour un homme mort
Il se mette en danger de recevoir la mort ?

CREON.

60 Il se trouve tousjours des citoyens rebelles.

CHŒUR DE VIEILLARDS.

Je n'en cognois aucuns qui ne vous soyent fidelles.

GAR.

Vous viendrez, vous viendrez.

ANTIGONE.

Je n'y recule pas.

CHŒUR DE VIEILLARDS.

Quelle Dame est-ce-la qu'ils tiennent par les bras ?
C'est la pauvre Antigone : hà fille miserable !
65 Vous avez volontiers esté trop pitoyable.

CREON.

Amenez, attrainez : vous estes gens de bien.
Où l'avez-vous surprise ?

GAR.

Autour du frere sien.

CREON.

Autour de Polynice ?

GAR.

En le couvrant de terre.

CHŒUR DE VIEILLARDS.

Qu'un obstiné malheur cette maison atterre !

CREON.

1770 Par les Dieux vous mourrez : mais dites moy comment
L'avez-vous peu surprendre en cet enterrement ?

GAR.

Nous estions à l'escart derriere ces collines,
De peur que l'air des corps ne vint à nos narines,
Dessous l'abry du vent, regardant soucieux
1775 Qu'aucun ne vint ravir ce corps tant odieux :
Quand nous appercevons cette fille esploree
Portant en une main une paelle ferree,
Un riche vase en l'autre, approcher du corps mort :
Et sur luy se ruant avec grand deconfort,
1780 Faire mille regrets, mille piteuses plaintes,
Qui les Tigres des bois eussent au dueil contraintes.
Sa lamentable vois resonnoit tout ainsi
Que celle d'un oiseau, de tristesse transi,
Qui, dans son nid portant l'ordinaire bechee,
1785 Ne trouve plus dedans sa petite nichee.

Quand elle eut quelque temps ses desastres ploré,
Et les playes du mort de baisers honoré,
Fist ses effusions, propitiant les Manes,
Et les noms invoquant des vierges Stygianes.
90 Puis, le vase laissant, la paelle print en main,
Et du sable plus sec luy empoudra le sein.
Adonc nous accourons sans davantage attendre,
A fin de la pouvoir en ce delict surprendre,
Et la mettre en vos mains : Mais, sans s'espouvanter,
95 Elle se vint à nous franchement presenter,
Confessant librement le sepulchral office
Qu'elle desiroit faire au corps de Polynice.
Elle m'en fait pitié : mais le devoir m'enjoint
De vous conter le faict, et ne le taire point.

CREON.

o Est-il vray ? avez-vous cette faute commise ?
Y avez-vous esté par ces Gardes surprise ?
Levez les yeux de terre, et ne desguisez rien.

ANTIGONE.

Il est vray, je l'ay fait.

CREON.

Ne sçaviez-vous pas bien
Qu'il estoit defendu par publique ordonnance ?

ANTIGONE.

5 Ouy, je le sçavois bien, j'en avois cognoissance.

CREON.

Qui vous a doncques fait enfreindre cette loy ?

ANTIGONE.

L'ordonnance de Dieu, qui est nostre grand Roy.

CREON.

» Dieu ne commande pas qu'aux loix on n'obeïsse.

ANTIGONE.

» Si fait, quand elles sont si pleines d'injustice.
1810 » Le grand Dieu, qui le Ciel et la Terre a formé,
» Des hommes a les loix aux siennes conformé,
» Qu'il nous enjoint garder comme loix salutaires,
» Et celles rejetter qui leur seront contraires.
» Nulles loix de Tyrans ne doivent avoir lieu,
1815 » Que lon voit repugner aux preceptes de Dieu.
Or le Dieu des Enfers qui aux Ombres commande,
Et celuy qui preside à la celeste bande,
Recommandent sur tout l'humaine pieté :
Et vous nous commandez toute inhumanité.
1820   Non non, je ne fay pas de vos loix tant d'estime
Que pour les observer j'aille commettre un crime,
Et viole des Dieux les preceptes sacrez,
Qui naturellement sont en nos cœurs encrez :
Ils durent eternels en l'essence des hommes,
1825 Et nez à les garder dés le berceau nous sommes.
Ay-je deu les corrompre ? ay-je deu, ay-je deu
Pour vostre authorité les estimer si peu ?
Vous me ferés mourir, j'en estois bien certaine,
Mais la crainte de mort en mon endroit est vaine,
1830 Je ne souhaitte qu'elle en mon extreme dueil.
» Quiconque ha grands ennuis desire le cercueil.
     Quoy ? eussé-je, Creon, violentant nature,
Souffert mon propre frere estre des Loups pasture,
Faute de l'inhumer, comme il est ordonné ?
1835 Mon frere, mon germain, de mesme ventre né ?
J'eusse offensé les Dieux aux morts propitiables, .
Et les eusse vers moy rendus impitoyables.

CHŒUR DE VIEILLARDS.

Cette pauvre Antigone en sa misere faut :
Pour sa condition elle a le cœur trop haut.

CREON.

40 » La puissance du Roy les cœurs rebelles donte,
   » Et les soumet aux loix, dont ils ne tiennent conte.
   Cette cy seulement ma defense n'enfreint,
   Mais, comme si l'enfreindre estoit un œuvre saint,
   Elle s'en glorifie, et d'impudente audace
45 Maintient avoir bien fait, mesme devant ma face :
   Se rit de ma puissance, et pense volontiers
   Que pour le vain respect des Rois ses devanciers,
   Elle n'y soit sugette, et que la felonnie
   Dont elle use envers moy, luy doive estre impunie.
50 Mais ores qu'elle soit sœur et fille de Rois,
   De ma sœur engendree en maritales lois,
   Je la feray mourir, et sa sœur avec elle,
   Si je trouve sa sœur estre de sa cordelle.
   Qu'on la face venir : car n'aguiere à la voir,
55 J'ay creu qu'elle devoit en son esprit avoir
   Quelque grand pensement, tant elle estoit esmeuë.
   » Souvent nostre secret se decouvre à la veuë.

ANTIGONE.

Vous ne pouvez au plus que me faire tuer.

CREON.

Et aussi je ne veux rien plus effectuer.

ANTIGONE.

60 Qu'attendez-vous donc tant ? qu'est-ce qui vous retarde ?

CREON.

Sera quand je voudray : car rien ne m'en engarde.

ANTIGONE.

Il m'est à tard d'avoir mon destiné trespas.

CREON.

Il ne tardera guere, il avance ses pas.

ANTIGONE.

Je mourray contre droict pour chose glorieuse.

CREON.

1865 Vous mourrez justement comme une audacieuse.

ANTIGONE.

Il n'est celuy qui n'eust commis semblable faict.

CREON.

Il n'est celuy pourtant d'entre tous qui l'ait faict.

ANTIGONE.

S'ils parloyent librement, ils loüroyent mon emprise.

CREON.

Qui les empescheroit d'en parler sans feintise ?

ANTIGONE.

1870 La crainte d'offenser un Roy trop animeux.

CREON.

Pourquoy ne craignez-vous de l'offenser comme eux ?

ANTIGONE.

Pour ne craindre la mort, remede à ma misere.

CREON.

Le mespris de la mort vous incite à mal-faire.

ANTIGONE.

» Ce n'est mal d'inhumer son frere trespassé.

CREON.

Vous avez l'inhumant mes edicts transgressé.

ANTIGONE.

Mais la loy de nature et des Dieux est plus forte.

CREON.

Vous n'avez honoré l'autre de mesme sorte.

ANTIGONE.

De mon autre germain vous avez eu souci.

CREON.

Et si je ne l'eusse eu ?

ANTIGONE.

J'en eusse faict ainsi.

CREON.

Cettui-cy sa patrie a saccagé par guerre.

ANTIGONE.

Le tort est provenu de sa native terre.

CREON.

D'y avoir amené nos mortels ennemis ?

ANTIGONE.

De poursuivre ses droits à chacun est permis.

CREON.

Je poursuivray les miens encontre vous rebelle.

ANTIGONE.

1885 Je n'ay rien entrepris que d'amour naturelle.

CREON.

Un ennemy public aimer il n'appartient.

CHŒUR DE VIEILLARDS.

Voici venir Ismene.

CREON.

Où est-elle ?

CHŒUR DE VIEILLARDS.

Elle vient :
En ondoyantes pleurs le visage luy nouë,
Qui luy vont effaçant le vermeil de sa jouë.
1890 Hà fille, que j'ay peur !

CREON.

Les voici, les serpens,
Les pestes, que j'aimois plus cher que mes enfans.
Avez-vous consenti à cette sepulture ?

ISMENE.

Ce fut moy qui en eut la principale cure.
S'il y a du peché, s'il y a du mesfaict,
1895 Seule punissez moy, car seule je l'ay faict.

ANTIGONE.

Non non, elle vous trompe, elle en est innocente,
Et ne doit à ma peine estre participante :
Elle n'en a rien sceu, non, ne la croyez pas.

ISMENE.

J'y allois après elle, et la suivois au pas.

ANTIGONE.

oo Si je luy eusse dict, elle m'eust decelee.

ISMENE.

Au contraire sans moy elle n'y fust allee.

ANTIGONE.

Elle n'a pas, Creon, le courage assez fort.

ISMENE.

Je vous ay incitee à ne craindre la mort.

ANTIGONE.

Elle veut avoir part à ma gloire acquestee.

ISMENE.

o5 Vous me voulez tollir ma gloire meritee.

ANTIGONE.

C'est à fin de mourir qu'elle dit tout ceci.

ISMENE.

Mais c'est pour me sauver que vous parlez ainsi.

ANTIGONE.

Et pourquoy voulez-vous sans merite me suivre?

ISMENE.

Et pourquoy voulez-vous me contraindre de vivre?

14

ANTIGONE.

1910   Vueillez plustost, ma sœur, vos beaux jours allonger.

ISMENE.

Pourquoy donc voulez-vous les vostres abreger ?

ANTIGONE.

Je ne me jette pas comme vous au supplice.

ISMENE.

Vous y estes jettee, enterrant Polynice.

ANTIGONE.

J'ay mieux aimé mourir que faillir au devoir
1915   Que vivants il nous faut des trespassez avoir :
Mais vous, faute de cœur, ne m'avez osé suivre.

ISMENE.

Ah, que j'auray de mal, s'il me faut vous survivre.

CREON.

Je croy que cette fille a son esprit troublé.

ISMENE.

» Un esprit, ô Creon, d'amertumes comblé
1920 » N'en est pas si rassis : c'est chose bien certaine.

CREON.

Vous l'avez bien perdu de courir à la peine.

ISMENE.

Sans elle je ne puis vivre qu'en desplaisir.

CREON.

Quant à elle, bien tost la mort l'ira saisir.

ISMENE.

Celle qu'à vostre fils vous avez accordee ?

CREON.

25 Sa peine pour cela ne sera retardee.

ISMENE.

Au bien de vostre fils n'aurez-vous autre esgard ?

CREON.

Je prendray pour mon fils une femme autre part.

ANTIGONE.

Voyez, mon cher Hemon, combien on vous estime !

CREON.

Il n'aura point de femme, où se trouve aucun crime.

ISMENE.

30 Le crime qu'elle a fait n'est que de pieté.

CREON.

Elle n'a qu'entrepris sur mon authorité.

ISMENE.

Le voulez-vous priver d'une si chere amie ?

CREON.

Ouy, fust-elle son cœur et son ame demie.

ISMENE.

Elle est fille, elle est sœur, elle est niepce de Rois.

CREON.

35 Le fust-elle des Dieux, elle est sugette aux loix.

ISMENE.

Avecque vostre fils elle est en fiançailles.

CREON.

Elle ira chez Pluton faire ses espousailles.

ISMENE.

O cruauté felonne ! ô fiere immanité !

CREON.

Gardez-vous d'encourir mesme infelicité.

ISMENE.

1940 Je ne crains d'un Tyran les injustes coleres.

CREON.

Prenez-les toutes deux, prenez ces deux viperes
Et me les enfermez, je leur feray sentir
Combien de me fascher on a de repentir.

CHŒUR DE VIEILLARDS.

Voici le pauvre Hemon, vostre enfant debonnaire,
1945 Ternissant de chagrin l'air de sa face claire :
Il monstre estre bien triste, et avoir dans le cueur,
A le voir souspirer, une extreme langueur.
C'est volontiers l'effect d'une amour desbordee
De voir arriver mal à sa douce accordee,
1950 Il la plaint. Or, l'oyant ainsi deconforter,
Je pense qu'il ne peut son malheur supporter.

HEMON.

Que tu meures, ma vie, et qu'on t'oste, mon ame,
A mon cœur qui ne vit que de ta douce flame ?
Que tu meures sans moy, que sans moy le trespas

55 Te meine chez Pluton, et je n'y voise pas ?
    Que je vive sans toy, que mon ame esploree
    Soit absente de toy, soit de toy separee ?
    Non non, je ne sçaurois : quiconque t'occira,
    Ma mort avec la tienne ensemble apparira.

CREON.

60 Mon fils, avez-vous sceu la sentence donnee
    Contre vostre Antigone, à la mort condamnee ?

HEMON.

On me l'a dit, mon pere, et en porte un grand dueil.

CREON.

Ne vous voulez-vous pas conformer à mon vueil ?

HEMON.

Mon pere, je vous veux complaire en toute chose :
65 Vostre commandement de mon vouloir dispose.

CREON.

» C'est parler comme il faut : un debonnaire enfant
» Ne s'affecte à cela que son pere defend.
   C'est pourquoy des enfans tout le monde desire,
   Qui n'aillent, arrogans, leurs peres contredire :
70 Comme on en voit aucuns qui ne prennent plaisir
   Que d'avoir à leur pere un contraire desir.
        Gardez-vous, mon enfant, que l'amour d'une femme,
   Mortifere poison, par trop ne vous enflamme.
» C'est un mal où vostre âge est volontiers enclin,
75 Mais avec la raison destrempez ce venin :
   Dontez cette fureur, de peur qu'elle maistrise
   D'un reprochable joug vostre jeune franchise.
» Une femme mechante apporte bien du mal

» A celuy qu'elle estreint d'un lien conjugal :
1980   Telle qu'est cette-cy, qu'aux tenebres j'envoye
       Du nuiteux Acheron, privé de toute joye.
       N'y mettez vostre cœur, souffrez qu'au lieu de vous
       Elle voise là bas chercher un autre espoux.
       C'est une audacieuse, une fille arrogante,
1985   A qui nostre grandeur est au cœur desplaisante.
       » Si est-ce qu'il n'est rien qui soit tant perilleux
       » A l'estat d'un grand Roy, qu'un sujet orgueilleux,
       » Qu'un sujet contumax, qui sans fin s'evertue
       » D'estre contrariant à tout ce qu'il statue.

                         HEMON.

1990   Il est vray : mais souvent autre est l'intention
       » D'un sujet qu'il ne semble à nostre opinion :
       » Tel forfait griefvement, qui forfaire ne pense.
       » La plus part des delicts se fait par imprudence.
       Ceste Vierge, exerçant un pitoyable faict,
1995   A contre son vouloir à vos edits forfaict.
       Chacun en a pitié, toute la cité pleure
       Qu'une Royale fille innocentement meure
       Pour un acte si beau, que lon deust premïer,
       Comme un faict de vertu, qu'on ne peut denïer.
2000   Quel mal (ce disent-ils) a fait cette pauvrette,
       De vouloir inhumer la charongne muette
       De son frere defunct, après l'avoir ploré,
       Pour n'estre des Corbeaux ny des Loups devoré ?
           Voila qu'on dit de vous sans vous le faire entendre :
2005   Car craignant vous desplaire on ne l'ose entreprendre.
       » Communément un Roy ne sçait que ce qui plaist,
       » Que chose de son goust, car le reste on luy taist.
       Mais moy, qui, vostre enfant, sur tous autres desire
       Que long temps en honneur prospere vostre empire :
2010   Qui sans feinte vous aime, ouvertement je vien

Vous conter la rumeur du peuple Ogygien.
Conformez vostre esprit à la raison maistresse,
Et qu'à la passion surmonter ne se laisse :
Ne ressemblez à ceux qui, pensant tout sçavoir,
15   Ne veulent le conseil d'un autre recevoir.
» Ce n'est point deshonneur à un Prince bien sage
» D'apprendre quelquefois d'un moindre personnage,
» Et suivre son advis, s'il le conseille bien,
» Sans par trop s'obstiner et arrester au sien.

CREON.

20   Penses-tu que de toy je vueille conseil prendre ?
Et en l'âge où je suis tes preceptes apprendre ?

HEMON.

» Il ne faut la personne, ains la chose peser,
» Et selon qu'est l'advis le prendre ou refuser.

CREON.

C'est un brave conseil qu'un mechant je guerdonne.

HEMON.

25   De bien faire aux mechans conseil je ne vous donne.

CREON.

Tu veux que je pardonne à ceste peste ici.

HEMON.

Sa faute est bien legere, et digne de merci.

CREON.

D'enterrer un mechant est-ce chose legere ?
Un ennemy publiq' ?

HEMON.

Voire mais c'est son frere.

CREON.

2030   Corrompre mes Edits ? m'avoir en tel mespris ?

HEMON.

De corrompre vos loix ell' n'avoit entrepris.

CREON.

Je luy feray porter de son orgueil la peine.

HEMON.

Ce ne sera l'advis de la cité Thebaine.

CREON.

Qu'ay-je affaire d'advis ? telle est ma volonté.

HEMON.

2035   N'estes-vous pas suget aux loix de la cité ?

CREON.

Un Prince n'est sujet aux loix de sa province.

HEMON.

Vous parlez d'un tyran, et non pas d'un bon Prince.

CREON.

Tu veux que mes sujets me prescrivent des loix.

HEMON.

» Ils doivent au contraire obeir à leurs Rois,
2040 » A leurs Rois leurs seigneurs, les aimer et les craindre :
» Aussi la loy publique un Roy ne doit enfreindre.

CREON.

Il a soing d'une femme, et la sert au besoing.

HEMON.

Femme vous seriez donc : car de vous seul j'ay soing.

CREON.

Oses-tu, malheureux, à ton pere debatre ?

HEMON.

45 J'ose pour l'equité l'injustice combatre.

CREON.

Injuste te semblé-je en defendant mes droits ?

HEMON.

Injuste en ordonnant des tyranniques loix.

CREON.

Que tu es abesti des fraudes d'une femme.

HEMON.

Cautelle ny malice Antigone ne trame.

CREON.

50 Tu ne la verras plus, son jour fatal est près.

HEMON.

Elle ne mourra pas qu'un autre n'aille après.

CREON.

Il me menace encor, ô l'impudente audace !

HEMON.

Vers mon pere et mon Roy je n'use de menace.

CREON.

Esclave effeminé, si tu contestes plus,
2055 Je t'envoiray gronder aux infernaux palus.

HEMON.

Vous voulez donc parler et n'entendre personne.

CREON.

J'atteste Jupiter, qui de foudres estonne
Les rochers Capharez, que la punition
Tallonnera de près ceste presomption.
2060 Sus, qu'on m'ameine tost ceste beste enragee,
Qu'aux yeux de ce galand elle soit esgorgee.

HEMON.

Il n'en sera rien fait : je mourray mille morts
Plustost qu'en ma presence on outrage son corps.
Vous ne me verrez plus, exercez vostre rage
2065 Sur ceux qui patiens endurent tout outrage.

CHŒUR DE VIEILLARDS.

Il sort d'un pas leger, piqué d'ire et d'amour :
J'ay grand'peur qu'il projette à faire un mauvais tour.

CREON.

Face ce qu'il voudra, qu'il tonne, qu'il tempeste,
Qu'il face l'orgueilleux, qu'il eleve la teste
2070 Encontre moy son pere, il n'exemptera pas
Cette vipere icy du destiné trespas.

CHŒUR DE VIEILLARDS.

C'est un honneste amour qui son ame bourrelle.

CREON.

Il luy doit preferer la crainte paternelle.

CHŒUR DE VIEILLARDS.

Il n'est rien qui ne cede à cette passion.

CREON.

1075 Si ne m'en doit-il moins porter d'affection.

CHŒUR DE VIEILLARDS.

A quel genre de mort l'avez-vous condamnee ?

CREON.

En un obscur desert elle sera menee,
Sauvage, inhabité, puis sous un antre creux
On l'enfermera vive en un roc tenebreux.
1080 Je luy feray bailler quelque peu de viande,
Laquelle defaillant que la mort elle attende,
Et requiere à Pluton, qu'elle adore sur tous,
Qu'il luy vueille donner un trespassement doux.
Elle apprendra combien c'est une chose vaine
1085 De faire honneur aux Dieux de l'infernale plaine.

CHŒUR.

» Les Dieux qui de là haut
» Sçavent ce qu'il nous faut,
» Nous donnent la Justice,
» Pour le propre loyer
1090 » Aux vertus octroyer,
» Et reprimer le vice.

» Mortels, nous n'avons rien
» Sur ce rond terrien,
» Qui tant nous soit utile
1095 » Que d'observer les loix,
» Sous qui les justes Rois
» Gouvernent une ville.

» La Justice nous fait
» Vivre un âge parfait
2100   » En une paix heureuse :
» Les bons elle maintient,
» Et des mechans retient
» La main injurieuse.

» Par elle l'estranger
2105   » Voyage sans danger :
» Par elle l'homme chiche
» Conserve son argent :
» Par elle l'indigent
» N'est opprimé du riche.

2110   » Elle rend vers les Dieux
» L'homme religieux :
» C'est elle que la veufve
» Et le foible orphelin,
» Destiné pour butin,
2115   » A sa defense treuve.

» La mere en seureté
» Garde la chasteté
» De sa fille par elle :
» Monstrant au ravisseur
2120   » Le tourment punisseur
» D'un forceur de pucelle.

» Mais le Vice tortu
» Imite la Vertu
» De telle ressemblance
2125   » Que, ne l'appercevant,
» Nous ne voyons souvent
» Des deux la difference.

» Le bon chemin est droict,
» Mais tellement estroict
130 » Que souvent on devoye :
» Entrant dans les chemins
» Des deux vices, voisins
» De cette droicte voye.

» Car celuy mainte fois
135 » Qui de cruelles loix
» Une cité police,
» Par sa rigueur mesfait
» Plus que celuy ne fait
» Dont il punist le vice.

140 » Pource que d'Equité
» Prenant l'extremité,
» De sa route destourne
» Aussi bien que celuy
» Qui, dissemblable à luy,
145 » Surpasse l'autre bourne.

Creon a vrayment tort
De livrer à la mort
Cette vierge royale.
Il pense tesmoigner
150 Pour les siens n'espargner
Qu'il fait justice egale.

Mais le crime n'est tel
Qu'il doive estre mortel
A sa bru et sa niepce :
155 Les amours dedaignant
De son fils se plaignant
D'une telle rudesse.

ANTIGONE. CHŒUR DE FILLES.

ANTIGONE.

Voyez, ô Citoyens qui Thebes habitez,
Le supreme combat de mes adversitez !
2160　Voyez mon dernier mal, ma torture derniere !
Voyez comme on me meine en une orde taniere
Pour y finir mes jours ! voyez, helas, voyez
Pour mes derniers repas les vivres octroyez !
Voyez les durs liens qui les deux bras me serrent !
2165　Voyez que ces bourreaux toute vive m'enterrent !
Voyez qu'ils vont mon corps en un roc emmurer,
Pour avoir mon germain voulu sepulturer !
Une fille royale on livre à la mort dure,
On me condamne à mort sans autre forfaiture.

CHŒUR DE FILLES.

2170　Consolez-vous, ô vierge, et ne vous affligez,
D'un magnanime cœur vos tourmens soulagez.
Vous n'irez sans louange en cet antre funebre :
Vostre innocente mort vivra tousjours celebre,
Et celebre le los de vostre pieté.
2175　Chaque an lon vous fera quelque solennité
Comme à une Deesse, et de mille cantiques
Le peuple honorera vos ombres Plutoniques.

ANTIGONE.

O fontaine Dircee ! ô fleuve Ismene ! ô prez !
O forests ! ô coustaux ! ô bords de sang pourprez !
2180　O Soleil jaunissant, lumiere de ce monde !
O Thebes, mon pays, d'hommes guerriers feconde,
Et maintenant fertile en dure cruauté,
Contrainte je vous laisse et vostre royauté !
　　　Adieu, Thebes, adieu : l'austere maladie

85 De ses palles maigreurs n'a ma face enlaidie,
Les cousteaux on ne vient en ma gorge plonger,
Et toutesfois la mort me contraint desloger.

Chœur de filles.

Heureuse est vostre mort terminant les miseres
Qui ont accompagné vos Labdacides peres
90 Jusqu'à vous miserable, et depuis le berceau
Vous ont jointe tousjours jusqu'au pied du tombeau.

Antigone.

Que fera desormais la vieillesse esploree
De mon pere aveuglé, d'avec moy separee ?
Que ferez-vous ? helas ! qui vous consolera ?
95 Qui conduira vos pas, et qui vous nourrira ?
Hà je sçay que bien tost, sortant de ma caverne,
Je vous verray, mon pere, au profond de l'Averne !
Vous ne vivrez long temps après mon triste sort,
Cette nouvelle icy vous hastera la mort.
100 Je vous verray, ma mere, esclandreuse Iocaste,
Je verray Eteocle et le gendre d'Adraste,
N'agueres devalez sur le noir Acheron,
Et non passez encor par le nocher Charon.
    Adieu, brigade aimee, adieu, cheres compagnes,
105 Je m'en vay lamenter sous les sombres campagnes :
J'entre vive en ma tombe, où languira mon corps
Mort et vif, esloigné des vivans et des morts.

Chœur de filles.

O desastre cruel ! ô fiere destinee !
O du vieillard Creon ire trop obstinee !
110 Vienne la mort soudaine, et de son heureux dard
Nous traverse en ce lieu toutes de part en part.

ANTIGONE.

Voicy donc ma prison, voicy donc ma demeure,
Voicy donc le sepulchre où il faut que je meure !
Je ne veux plus tarder, il faut entrer dedans.
2215   Adieu, luisant Soleil, adieu, rayons ardans,
Adieu pour tout jamais ! car dans ce pleureux antre,
Mon supreme manoir, jamais ta clairté n'entre.
Adieu, mon cher Hemon, vous ne me verrez plus,
Je m'en vay confiner en cet antre reclus :
2220   Souvenez-vous de moy, que la mort on me donne,
Qu'on me livre à la mort pour avoir esté bonne.
      Vous degoutez de pleurs, vos yeux en sont noyez,
Ne larmoyez pour moy, mes sœurs, ne larmoyez.
Pourquoy sanglotez-vous ? pourquoy vos seins d'albâtre
2225   Allez-vous meurtrissant de force de vous battre ?
Adieu, mes cheres Sœurs, je vous fay malaiser,
Je ne veux plus de vous que ce dernier baiser.
Adieu, mes Sœurs, adieu, trop long temps je retarde
De mes piteux regrets la mort qui me regarde.

CHŒUR DE FILLES.

2230   Hà que nos jours sont pleins
        D'esclandres inhumains !
        Hé Dieux, que de traverses !
        Que d'angoisses diverses !

        Que nos cheveux retors
2235   Sortent flotans dehors :
        Que nos faces soyent teintes
        De sanglantes atteintes.

        Que nostre sein ouvert
        Soit d'ulceres couvert,
2240   Que le sang en degoutte,
        Et tombe goutte à goutte.

Que sans cesse les pleurs
Humectent nos douleurs,
Que jamais ils ne cessent,
Et l'un sur l'autre naissent.

Que ces coustaux segrets
Resonnent de regrets,
Et ces roches cornues
De plaintes continues.

Que nostre triste cœur
N'enferme que langueur,
Soit la tristesse amere
Son hostesse ordinaire.

Jamais le beau Soleil
Ne nous luise vermeil,
Ains que tousjours sa lampe
En tenebres il trempe.

L'obscurité des nuits
Est propre à nos ennuis,
Nos importuns encombres
Se plaisent aux nuicts sombres.

Or te vueillent les Dieux
Conduire aux sacrez lieux,
Où les ames piteuses
Reposent bien-heureuses.

Et là t'aillent payer
Le merité loyer
De ton cœur debonnaire
Vers le corps de ton frere.

15

HEMON.

2270   Vous avez donc, cruel, mes amours violé,
        Vous m'avez, outrageux, de mon ame volé,
        Vous m'avez arraché le cœur, le sang, la vie,
        M'ayant par vos rigueurs ravy ma chere amie !
        Un Tigre Hyrcanien si felon n'eust esté,
2275   Un Sarmate, un Tartare eust plus d'humanité.
        Emmurer une vierge en une roche dure,
        Une fille de Roy, mon espouse future !
        Vostre niepce, cruel, que vous deussiez cherir
        Ainsi que vostre fille, et la faites mourir !
2280   Vous la faites mourir sans estre crimineuse !
        Son crime et son offense est d'estre vertueuse !
            O bourrelle nature ! ô trop barbare cœur,
        Des Ours et des Lions surpassant la rigueur !
        Aumoins si vous l'eussiez sur le champ esgorgee,
2285   Sans la faire mourir d'une faim enragee :
        Vous n'estiez pas saoulé d'un supplice commun,
        Il vous falloit monstrer plus cruel qu'un chacun.
            Les rayons de ses yeux, la douceur de sa face
        N'ont peu de vostre cœur rompre la dure glace.
2290   Vrayment il est remply d'extreme cruauté,
        Puis qu'il a peu blesser ceste extreme beauté :
        Beauté qui à l'amour eust une roche esmeuë,
        Si une roche fust de sentiment pourveuë.
            Las, que j'aye sa peine ! et si ce n'est assez,
2295   Qu'on prenne des tyrans les tourments amassez,
        Et qu'on me les applique : en toute patience
        On me verra souffrir leur dure violence.
        Aussi bien si je vis, elle ne mourra pas,
        Ou commun à nous deux nous sera son trespas.
2300   Je rompray la caverne, et si aucun s'oppose
        Et s'efforce empescher qu'elle ne soit declose,
        Je luy feray sentir que c'est temerité

De vouloir contredire un amant irrité.

     Mon ame est-elle moins de son amour esprise
Que d'Andromede fut le preux nepveu d'Acrise,
Qui le monstre marin mort à terre rua,
Et detacha la vierge après qu'il le tua ?
Mon ame est plus d'amour que la sienne eschauffee,
Et Antigone vainc la fille de Cephee
En pudique beauté : j'ay donc le cœur moins fort,
Si je ne la delivre et garantis de mort.

     Mais trop long temps je tarde, et ce pendant, peut estre,
Que d'inutiles pleurs je me viens icy paistre,
La pauvrette pourra s'estre ouverte le sein
De quelque fer plustost que d'attendre la faim :
Ou bien par faute d'air trespasser suffoquee,
Ou se briser la teste encontre un roc choquee.
Il ne faut dilayer de crainte d'accident :
Car mon secret destin est du sien dependant.

     Je m'estimois heureux qu'elle me fust donnee,
Pour devoir celebrer un heureux hymenee :
Mais si le ciel n'aspire à mes loüables vœux,
Nous irons espouser en l'Acheron larveux.
Ce que n'advienne, ô Dieux ! ains permettez de grace
Que je l'oste aujourd'huy de sa caverne basse.

CHŒUR.

   » O rigoureux Amour,
   » Dont la fleche poignante
   » Sans repos nuict et jour
   » Toutes ames tourmente :
   » Tu dontes glorieux
   » Les hommes et les Dieux.

» Nul ne se peut garder
» Que ta main enfantine
» Ne le vienne darder
2335 » A travers la poitrine :
» Car contre ton effort
» Il n'est rien qui soit fort.

» Les Monarques si craints,
» Les Rois porte-couronnes
2340 » Sont aussi tost atteints
» Que les simples personnes :
» Voire que tu te prens
» Plus volontiers aux grands.

» Jupiter, qui des Dieux
2345 » Est le maistre et le pere,
» Qui la terre et les cieux
» Et les ondes tempere,
» Sent ce douillet enfant,
» De son cœur triomphant.

2350 » Le foudre petillant
» Dans sa main rougissante,
» Ny son œil sourcillant
» Qui le ciel espouvante,
» Ne le defend du tret
2355 » De cet Archer segret.

» Aux Enfers il descend,
» Et dans l'ame cruelle
» De Pluton se glissant,
» Y laisse une estincelle,
2360 » Qui n'a tourment egal
» Dans le creux infernal.

» Il donte sous les eaux
» Les troupes escaillees,
» Il navre les oiseaux
» Aux plumes esmaillees,
» Les plaines et les bois
» Sont sujets à ses loix.

» Les peuples des forests,
» Les privez, les sauvages,
» Des tertres, des marez,
» Des valons, des bocages,
» Des champs et des maisons,
» Sont ards de ses tisons.

» Mais nous sommes sur tous,
» Humaines creatures,
» La butte de ses coups
» Et de ses fleches dures :
» Nous allons plus souvent
» Ses flammes esprouvant.

» Il niche dans les yeux
» D'une tendre pucelle,
» Sur son front gracieux,
» Sur sa gorgette belle,
» Ou ses cheveux retors,
» D'où se font mille morts.

» Mais las ! c'est grand'pitié
» Que celuy qu'il outrage
» D'une forte amitié,
» Sent une telle rage
» Qu'il ne repose point
» Tant que ce mal le poind.

» Il ne songe transi
» Qu'à la beauté qu'il aime,
» Il n'a plus de souci
2395   » De sa personne mesme :
» Le paternel devoir
» Luy vient à nonchaloir.

» Il change tout d'humeurs,
» De naturel il change,
2400   » Il prend d'estranges mœurs
» Sous ce tyran estrange :
» L'ancienne douceur
» Desempare son cœur.

Hemon voyons-nous pas,
2405   Jadis si debonnaire,
Devenu contumax
Au vouloir de son pere,
Depuis que cet amour
A faict en luy sejour ?

2410   Il ne peut consentir
Qu'on outrage sa Dame,
Il aime mieux sentir
La mort dedans son ame :
Je crains que sa douleur
2415   Nous cause du malheur.

ACTE V.

LE MESSAGER. LE CHŒUR. EURYDICE. CREON. DOROTHEE.

LE MESSAGER.

Comme Fortune escroule, esbranle et bouleverse
Les affaires humains poussez à la renverse !
» Comme elle brouille tout, et de nous se jouant
» Va sans dessus dessous toute chose rouant !
20 » Sur les fresles grandeurs superbe elle se roule,
» Puis soudain les releve, en retournant sa boule,
» Et si nul des mortels ne prevoit son destin.
      Voila le vieil Creon, si heureux ce matin,
Malheureux à cette heure. Il estoit sans attente,
25 Sans espoir eleu Roy d'une ville puissante.
Il a nos ennemis presentement chassez,
Que Polynice avoit contre nous amassez :
Ores le malencontre en sa maison devale,
Qui ce nouveau bonheur de tristesses esgale.
30 » Car qui a du martyre en son entendement,
» Bien qu'il soit un grand Roy, ne vit heureusement.
»   Vous avez beau couvrir de haras les montagnes,
» Et de troupeaux laineux les herbeuses campagnes,
» Avoir l'or qui jaunist sur le rivage mol

2435 » Du Lydien Pactole, ou du Tage Espagnol,
    » Estre de cent citez et de cent peuples maistre,
    » Voire entre tous les Rois un monarque apparoistre :
    » Que si dans vostre esprit n'avez contentement,
    » Vostre felicité ne sera qu'un tourment.

Le Chœur.

2440 Quel sanglant infortune encores nous tourmente ?

Le Messager.

La Fortune nous bat plus que jamais sanglante.

Le Chœur.

Nous est-il survenu de nouveaux accidens ?

Le Messager.

Tout est plein de soupirs et de pleurs là dedans.

Le Chœur.

Est-ce dans le chasteau que tombe cet esclandre ?

Le Messager.

2445 Sur le chef de Creon vient ce malheur descendre.

Le Chœur.

De Creon ? quel malheur en son âge chenu ?

Le Messager.

C'est par luy, le chetif, que tout est advenu.

Le Chœur.

Et qu'est-ce ? dy nous tost, sans nous tenir en trance.

Le Messager.

Ils sont tous roides morts par son outrecuidance.

LE CHŒUR.
250 Jupiter ! qui sont-ils ? qui a ce meurtre fait ?

LE MESSAGER.
Hemon, le pauvre Hemon s'est luy mesme desfait.

LE CHŒUR.
Et pourquoy ? qui l'a meu ? le courroux de son pere ?

LE MESSAGER.
Il est mort forcené d'amour et de colere.

LE CHŒUR.
De l'amour d'Antigone il estoit esperdu.

LE MESSAGER.
255 D'Antigone l'amour et la mort l'ont perdu.

LE CHŒUR.
De cette pauvre vierge esteinte est donc la vie.

LE MESSAGER.
Sa mort est de la mort de son Hemon suivie.

LE CHŒUR.
Mais j'entrevoy, ce semble, Eurydice qui sort :
Auroit-elle entendu nouvelle de sa mort,
260 Ou bien si par Fortune elle seroit sortie ?

EURYDICE.
O Thebains mes amis, je me suis divertie
Du service des Dieux, pour un bruit effroyant,
Qui sortant du chasteau m'a troublee en l'oyant.
J'allois au sacré temple où Pallas on adore,

2465 Et à peine en la rue estoy-je entree encore,
Quand j'entens la rumeur du peuple espouvanté,
Qui bruyoit tristement de quelque adversité
De la maison Royale : à cette voix ouye,
Espointe de frayeur, je tombe esvanouye.

2470 Mes femmes, m'embrassant, me levent comme un faix,
Et me couvrant le front me portent au palais :
Où peu après estant d'ecstase revenue,
Et de ce fascheux bruit m'estant resouvenue,
Je sors pleine d'ennuis, ardente de sçavoir

2475 Quel infortune c'est, ce qu'il y peut avoir.
La poitrine me bat, le sang au cœur me glace,
Une froide sueur me destrempe la face,
La force me defaut, mon bras n'a plus de poux,
Et sous mon foible corps tremblotent mes genoux.

2480   Je presage un grand mal : car cette matinee
L'Orfraye a sur nos tours sa foible voix trainee
En longs gemissemens : j'ay veu dessur nos lits
Mille taches de sang, et dessur mes habits.
J'ay depuis estimé que ce fussent presages

2485 Du meurtre des deux Rois, et des autres carnages
De nos bons citoyens, qui sont aujourdhuy morts,
Repoussant vaillamment les Argives efforts :
Mais ore je voy bien que ce signe demonstre
Que sur nos propres chefs adviendra malencontre,

2490 Par le visage morne et les pleurs que je voy
Du peuple, qui me suit et lamente sur moy.
Je l'entens murmurer de quelque horrible chose,
De quelque grand mechef, dont m'advertir on n'ose.
Si le faut-il sçavoir. Dites moy, je vous pry,

2495 De quel malheur provient ce lamentable cry ?
Dites-le hardiment : je ne suis apprentive
A porter des ennuis, sans fin il m'en arrive.

LE MESSAGER.

Je vous conteray tout, Madame : car dequoy
Peut servir qu'on vous taise un si lugubre esmoy ?
500 L'on ne le peut celer encores qu'on y tasche,
Vous le sçaurez tousjours combien qu'on vous le cache :
Et le sçachant demain vous n'aurez moins d'ennuy
Que vous en recevrez, le sçachant aujourdhuy.

EURYDICE.

Tu me tiens trop long temps, despesche, je te prie.

LE MESSAGER.

505 La fureur de Creon luy estoit deasprie
Par le conseil des siens, qui donnerent advis
Que fussent des grands Dieux les oracles suivis
Qu'annonçoit Tiresie, et qu'un funebre office
Lon fist soudainement au corps de Polynice.
510   Nous allions attristez par des chemins tortus,
De caverneux rochers doublement revestus :
Pource que la campagne est encore encombree
De grands monceaux de corps, et de sang empourpree.
Puis, descendus au lieu funeste aux deux Germains,
515 Trouvons ce pauvre Prince estendu sur les reins,
Tout saigneux, tout poudreux, que nous levons de terre,
Et le portons laver sur une large pierre.
        Après qu'il fut par nous de pure eau nettoyé,
Et de linge odorant souefvement essuyé,
520 Nous invoquons Hecate en trois noms reclamee,
Le tenebreux Pluton, et sa cohorte aimee,
En les propitiant, de peur que leur courroux,
Pour se voir mespriser, ne s'cclatast sur nous.
        Nous entamons le sein de nostre antique mere,
525 Luy creusons un tombeau, sa maison solitaire,
Et couvert d'un linceul le descendons dedans,

Espandans maints soupirs, maintes pleurs espandans.
    Quand tout fut achevé, nous retournons arriere,
Marchant d'un pas legier vers la sombre taniere
2530 De la bonne Antigone, à fin de l'en tirer,
Ne la voulant Creon plus long temps martyrer.
Nous n'allons gueres loin qu'une voix lamentable
Nous entendons sortir de la roche execrable :
Le Roy s'en trouble tout, devient palle, et ne peut
2535 Proferer un seul mot, tant son ame s'esmeut.
Il avance le pas, il begaye, et demonstre
Par ses gestes divers qu'il craint du malencontre.
Nous haste d'approcher de cet antre pierreux,
Luy mesme y court soudain, s'appelle malheureux,
2540 Gemist, souspire, pleure, et ses gourdes mains rue
Sur ses cheveux grisons et sa barbe chenue.
Ah (dit-il) miserable ! ah c'est d'Hemon le cry !
Allez, courez, volez, secourez, je vous pry,
Vous n'y serez à temps, brossez dans ce bocage,
2545 Et à course donnez dedans l'antre sauvage :
Sauvez moy mon enfant, mon enfant sauvez moy,
Mon Hemon, las ! c'est luy, c'est luy-mesme que j'oy,
C'est sa voix, je l'entens. Lors chacun s'evertue,
Chacun court, chacun poste à la roche moussue :
2550 L'un veut devancer l'autre, et l'honneur acquerir
D'estre entré le premier pour Hemon secourir.
    De cet antre approchez, nous trouvons la closture
Avoir esté brisee en capable ouverture :
Nous descendons dedans, et, descouvrant par tout,
2555 Nous voyons Antigone en un recoin au bout
Couchee à la renverse, ayant la gorge ceinte
De ses liens de teste, en mille nœuds estreinte :
Et son Hemon auprès, qui pleurant l'embrassoit,
Et sa mort lamentant sur elle gemissoit.
2560 Nommoit les Dieux cruels et la Parque cruelle,

Maudissoit, detestoit la rigueur paternelle,
Se destordoit les bras, la pucelle appelloit :
Et, bien qu'elle fust morte, avec elle parloit,
La nommoit sa maistresse, et sa vie, et son ame,
565   Se disoit malheureux en une chaste flame.
Aussi tost vient Creon, qui, l'ayant apperceu,
Tire de grands sanglots, jusque aux poumons esmeu :
Et comme fanatique, avec une voix morte,
Tremblant et haletant luy dist en cette sorte.
570   Que faites vous, mon fils ? pourquoy vous perdez-
                                              [vous ?
Revenez, mon amy, laschez vostre courroux :
Pardonnez moy ma faute, humble je vous en prie,
Pardonnez moy, mon cœur, pardonnez moy, ma vie :
Vueillez moy, pour ce coup, mon erreur pardonner,
575   J'en porteray tel mal que voudrez m'ordonner.
           Mais luy le regardant d'une œillade farouche,
Le guignant de travers à ces propos rebouche,
Devient plus furieux, et sans respondre mot
De ses entrailles pousse un soupireux sanglot :
580   Et au mesme moment il saque au cimeterre,
Dont Creon effroyé se retire grand'erre
Sortant de la caverne et luy tout coleré
Se donne dans les flancs du coutelas tiré.

EURYDICE.

Hà, qu'est-ce que j'entens ! qu'est-ce que j'oy dolente !

LE CHŒUR.

585   Elle s'en va troublee ainsi qu'une Bacchante
Au haut de Cithéron, qui, pleine de fureur,
Va celebrant le Dieu des Indes conquereur.
Acheve, Messager, ce discours lamentable.

Le Messager.

Si tost qu'il eut l'espee en son flanc miserable,
2590 Il tomba sur la Vierge et de sang l'arrosa,
Dist le dernier adieu, puis ses lévres baisa :
La face luy blesmist, les jambes luy roidirent,
Sa vie et son amour dedans l'air se perdirent.

Le Chœur.

O couple infortuné de fidelles Amans,
2595 Indignes de souffrir si funebres tourmens !
Les Dires vont esteindre aux ondes Stygiales
De leur mortel Hymen les torches nuptiales.
Or reposez, enfans, en eternelle paix,
Et vos douces amours conservez à jamais.
2600   Mais d'où vient que la Royne est si tost retournee,
Quand elle a sceu d'Hemon la dure destinee,
Sans faire aucuns regrets, sans avoir lamenté,
Sentant d'un si grand dueil son cœur accravanté ?

Le Messager.

Je m'en estonne bien, mais toutefois j'estime
2605 Qu'elle a voulu presser la douleur qui la lime,
Et ne la declarer en public devant tous :
Mais qu'elle vomira son dueil et son courroux
Libre dans le chasteau sans que ses pleurs on voye.
   » Celuy larmoye seul qui de bon cœur larmoye.
2610 Autrement, je ne croy qu'il puisse avoir danger,
Que par trop de douleur elle s'aille outrager :
Elle est trop retenue, et a trop de prudence.

Le Chœur.

Certes je n'en sçay rien, mais ce triste silence
Me semble presagir incurables malheurs :
2615 » Combien qu'en un vray dueil vaines sont les clameurs.

LE MESSAGER.

Entrons dedans la ville, on pourra nous apprendre
Si le dueil luy a fait sur sa vie entreprendre.

LE CHŒUR.

Allons : mais voila pas Creon l'infortuné ?

LE MESSAGER.

C'est luy mesme, c'est luy, le vieillard obstiné.

LE CHŒUR.

20 Il fait porter un mort sur lequel il lamente.

LE MESSAGER.

C'est Hémon, retiré de la cave relante.

LE CHŒUR.

Il est cause tout seul d'un si cruel mechef,
Mais je crains qu'il ne tombe à d'autres sur le chef.

CREON.

O trois et quatre fois malheureuse ma vie !
25 O vieillesse chagrine au desastre asservie !
O crime detestable ! ô monstrueux forfait !
J'ay par ma cruauté mon cher enfant desfait !
Hà bourreau de mon sang ! une Tigre sauvage
Ne traitte ainsi les siens que moy mon parentage.
30 Je me nourris de meurtre, et encores ma faim
Ne se peut amortir d'un carnage inhumain :
Je guerroye les morts, ma fureur insensee
S'est après le trespas sur les miens elancee.
J'ay voulu Polynice aux corbeaux livrer mort
35 Et aux loups charoigniers, non contant de sa mort.
J'ay enclose Antigone en une cave noire,

Pour un piteux office, et qui merite gloire.
J'ay vive ensevely la fille de ma sœur,
Et de mon propre fils je suis le meutrisseur.

Le Chœur.

2640   Trop tard vous cognoissez vostre incurable offense,
Vaines y sont les pleurs, vaine la repentance,
Pour neant vous jettez ces lamentables cris.
» De ce qui est ja faict le conseil en est pris.
» Dieu mesme ne sçauroit, bien que tout il modere,
2645 » Faire qu'un œuvre faict soit encores à faire.

Creon.

Helas, je le sçay bien à mon grand deconfort.
Incurable est ma peine, incurable mon tort.
Helas ! que ma vieillesse est de malheurs chargee !
Que mon ame a d'angoisse, et qu'elle est affligee !

Dorothee.

2650   O Creon esploré, les meurtres à foison
Viennent de plus en plus combler vostre maison.

Creon.

Que me peut-il rester de chose miserable
Que ne m'ait fait sentir la fortune muable ?

Dorothee.

La Royne s'est tuee, et de son rouge sang
2655   Sa chambre est ondoyante et semble d'un estang.

Creon.

O cruel Acheron aux implacables gouffres,
Qui dans tes flancs ouverts toutes choses engoufres,
Pourquoy me viens-tu perdre estant ja si perdu ?
Que ne suis-je plustost dans l'Orque descendu,

60 Ains qu'emplir ma maison de sang et de carnage,
Que pousser devant moy mon malheureux mesnage ?
     Hà pauvre infortuné, pauvre Roy, Roy chetif,
Que ce bandeau royal est un heur deceptif !
Si tost je ne l'ay pris qu'une horrible tempeste
65 D'esclandres desastreux m'a bourrelé la teste.
     Mon Eurydice est morte ! hà mechant c'est par moy !
D'autre que de moy seul me plaindre je ne doy.
Par moy ma niepce est morte en un louable office :
Par elle mon Hemon, par Hemon Eurydice.
70 Ainsi de tant de morts je suis cause tout seul,
Et seul aussi j'en porte et la coulpe et le deul.
Mon Eurydice est morte, Eurydice mon ame !
O sanguinaire espous, ô desastreuse Dame !
Allons, courons la voir.

DOROTHEE.

     Ne vous hastez ja tant,
75 Vous ne ranimerez sa vie en vous hastant.
Trop tost à vostre dam vous verrez la pauvrette
Preste à faire descente en la tombe muette.

CREON.

Hé bons dieux, que feray-je ? est-il calamité
Qu'apparier je puisse à mon adversité ?
80 Que me peut-il rester ? que reste à ma vieillesse
Qu'elle ne soit confite en extreme destresse ?
J'ay meurtry mon enfant que je tiens en mes bras,
Et ma loyale espouse ay conduit au trespas.
     Hà mere trop piteuse ! hà fils trop debonnaire !
85 O moy source du mal, ostinément severe !
O trop cruel Destin ! cruel sort, estouffant
Par mon austerité, niepce, femme, et enfant !

16

DOROTHEE.

Elle est morte soudain, sur l'autel renversee,
D'un poignard outrageux l'estomach traversee.
2690 Mais devant que vomir sa triste ame dehors,
Les deux yeux entre-ouverts ternissans par les bors,
Le visage desteint de sa rose premiere,
A son antique espoux a fait dure priere,
Ses Manes contre vous par trois fois implorant
2695 Et toutes les Fureurs des Enfers adjurant,
Pour venger dessur vous au creux Acherontide
De cent et cent tourmens ce double parricide.

CREON.

O pauvre, ô miserable, helas je tremble au cœur !
Je sens mon sang glacer d'une mortelle peur.
2700 Que quelqu'un ne me vient d'une trenchante espee
Traverser la poitrine, ou la gorge frapee ?
Arrachez-moy d'ici, jettez moy quelque part,
Où je puisse plorer dans un roc à l'escart.
Je suis semblable à ceux que le sepulchre enserre,
2705 Tant l'ennuy, tant le mal mortellement m'atterre.
    Vienne, vienne la Mort au severe sourcy,
Vienne la Mort terrible et m'arrache d'icy.
Que ce jour le dernier de mes jours apparoisse,
Ce jour face noyer mon crime et mon angoisse
2710 Au fond de l'Acheron, non pas mon crime, helas !
Car il faut qu'avec moy je le porte là bas,
Et le monstre à Minos, pour recevoir la peine
Que merite l'aigreur de mon ame inhumaine.

LE CHŒUR.

Laissez-là ces regrets, cet inutile dueil,
2715 Et faites que leurs corps on enferme au cercueil.

CREON.

Je ne te puis lascher, ma tendre geniture,
Pour inhumé te mettre en digne sepulture,
Bien que je t'aye occis par ma severité,
Contre ton saint amour follement irrité :
Ny vous ma chere espouse : helas, ce mesme esclandre
Et ce mesme forfait vient vostre sang espandre !
Mere, vous n'avez peu, trop outragee au cœur,
Survivre à vostre enfant meurtry par ma rigueur :
Et moy meurtrier je vy, Clothon mes jours devide,
Qui suis espoux, et oncle, et pere parricide.
        Où mes yeux tourneray-je ? en quel lieu, malheureux,
Me doy-je retirer pour n'estre langoureux ?
Tu vois, pauvre Creon, quelque part que tu ailles,
Des meurtres impiteux, tu vois des funerailles.
De son glaive abbatu ton enfant gist icy,
Occise en ta maison ta femme gist aussi :
Tout regorge de pleurs, de regrets et de plaintes,
Par la fortune sont tes liesses esteintes.
        O rigoureux Destin, qu'on ne peut eviter !
O grands Dieux immortels ! ô pere Jupiter !
Terminez, je vous pri', ma douleur et ma vie,
D'Eurydice la mort soit de ma mort suivie.

LE CHŒUR.

Vos pertes, vos malheurs, que vous avez soufferts
» Procedent du mespris du grand Dieu des Enfers :
» Il le faut honorer, et tousjours avoir cure
» De ne priver aucun du droict de sepulture.

FIN.

NOTICES

ET

NOTES

LA TROADE

NOTICE

Après avoir consacré trois tragédies aux guerres civiles de la République romaine, Garnier revint à l'ancienne histoire grecque. A un amateur d'événements tragiques, elle offre trois séries de malheurs illustres : celle des Atrides, riche en crimes odieux, que Garnier se contentera d'évoquer brièvement (*Troade*, v. 325-344), celle des Labdacides, d'où il tirera son *Antigone*, et celle de la famille de Priam[1].

Les raisons du choix qu'il fit de cette dernière série, sont claires. De nombreux ouvrages familiarisaient les Français cultivés avec les malheurs de Troie et de son roi : d'une part, les éditions et traductions de l'*Iliade*, des récits de Darès et de Dictys, des tragédies de Sénèque et d'Euripide, et de l'*Enéide* ; d'autre part, les nombreuses éditions de la *Destruction de Troie mise par personnages* de Jacques Millet et des *Illustrations de Gaule* de Lemaire de Belges[2]. Le sort d'Hécube semblait éminemment tragique aux hommes de la Renaissance; aussi bien l'*Hécube* d'Euripide fut-elle traduite par Erasme, Bandello, Bochetel, etc.;

---

1. Dès sa première tragédie (v. 71-80 et 477-488), Garnier mentionnait ces trois séries de malheurs. C'est à elles que Du Bartas a consacré les essais dramatiques de sa jeunesse (cf. le début de *l'Uranie*).

2. En 1549, quatorze ans avant la première tragédie française à sujet troyen, le Parlement de Paris condamnait une troupe d'Enfants-sans-souci, parmi lesquels quatre étaient surnommés Hector, Troïlus, Priam et Ascanaïs (Ascagne).

Amyot avait laissé une traduction manuscrite des *Troyennes* du même auteur. L'histoire des Priamides abonde en malheurs quasi-simultanés; or Garnier cherche, à cette époque, à renforcer l'effet pathétique en multipliant les morts violentes. Enfin, les infortunes de la famille royale s'accompagnent d'une calamité nationale : c'est une ressemblance avec notre pays, un sujet de méditation pour Garnier; après la mort accidentelle d'Henri II, ses deux fils aînés sont emportés en pleine jeunesse, ses filles, la reine d'Espagne et la duchesse de Lorraine, meurent avant 1575, et la 6ᵉ guerre de religion a eu lieu en 1577. Or, la publication récente de *la Franciade* rappelle à nos lettrés l'origine pseudo-historique des Français; pour satisfaire à l'optimisme officiel, Garnier tirera un présage favorable des progrès de l'Etat français, qui ont succédé à la ruine du royaume troyen.

Mais, dans cette tragédie, on ne voit pas nettement l'enseignement moral et religieux qu'il avait coutume de tirer des événements dramatiques. Il balance entre ses convictions personnelles et les sentiments que Sénèque et Euripide prêtaient aux acteurs du drame troyen. Comme chez Euripide, Talthybie met en doute l'action de Jupiter sur les événements humains (v. 2037-40); son Hécube adresse des reproches aux dieux indifférents, injustes et cruels (v. 93, 1730-32, 2661-62); son Andromaque s'y associe (v. 1001-03 et 1950). Mais le chœur reconnaît la culpabilité de Pâris (v. 1193); Cassandre et Hécube nous font prévoir que les Grecs seront punis de leurs excès[1]. Et surtout certaines additions et suppressions révèlent les sentiments religieux de Garnier[2]. La dédicace à l'évêque Renaud de Beaune trahit l'incertitude de l'auteur : les désastres des Troyens sont-ils dus à la colère de Dieu ou à l'influence maligne des astres[3] ? Dans sa tragédie biblique, la théorie du « fléau de Dieu » (que, déjà dans

---

1. Cf. aussi les v. 487-88 de *Porcie*.
2. Voir les notes des v. 946, 2391, 2449-54, 2614. En imitant le fameux chœur des *Troades,* il eut soin de remplacer par une affirmation spiritualiste la négation de l'immortalité de l'âme.
3. Cf. les vers 2267-68.

Cornélie, Philippes avait esquissée) fournira une solution satisfaisante pour l'esprit et pour la foi.

Pour ces tragiques événements, les sources ne manquaient pas. Garnier ne semble pas avoir recouru à Darès et à Dictys. Il a emprunté quelques détails à l'*Enéide* et à l'*Iliade.* Trois tragédies antiques lui ont fourni presque toute la matière : les *Troades* de Sénèque, l'*Hécube* d'Euripide et aussi les *Troyennes* du même dramaturge. Pour la première fois, il pratiquait cette « contamination » de plusieurs pièces, dont Plaute et Térence avaient donné l'exemple et qui, au XVIᵉ siècle, était en usage parmi les auteurs comiques italiens[1].

Sénèque avait rempli cinq actes avec les deux morts violentes de Polyxène et d'Astyanax. Dans les *Troyennes,* un seul personnage est tué : Astyanax; mais auparavant Cassandre est enlevée à sa mère, et Hélène passe en jugement devant son époux. Dans *Hécube,* au meurtre de Polyxène s'ajoute la découverte du cadavre de Polydore, et son assassinat est vengé par le châtiment de Polymestor et par le meurtre des deux enfants du roi thrace.

Garnier n'a exclu qu'un seul de ces épisodes : l'ennuyeux jugement d'Hélène; la femme de Ménélas, qui figure dans les *Troades* et les *Troyennes,* n'apparaît pas dans sa pièce. Si aux malheurs des Priamides il a joint celui de Polymestor, c'est pour un motif moral, que nous retrouvons dans la composition d'*Hippolyte,* d'*Antigone* et des *Juives :* il craint que le spectacle de l'impunité des coupables n'inspire des doutes sur la providence divine. D'où la punition de Thésée, de Polymestor et de Créon, frappés dans leur descendance, le suicide de Phèdre et de sa nourrice, et la prophétie du châtiment de Nabuchodonosor[2].

Garnier a fait une tragédie très copieuse, et, malgré la présence d'Hécube dans presque tous les actes[3], il a dis-

1. En France, dans *Médée* et dans *la Famine,* La Péruse et Jean de La Taille avaient, avant Garnier, mêlé l'imitation d'Euripide à celle de Sénèque.

2. Pour des raisons différentes, Corneille et Racine ont ajouté à la mort du héros, dans *Pompée* et *Britannicus,* le châtiment des méchants.

3. Comme dans les *Troades,* c'est elle qui ouvre et qui termine la pièce.

persé l'intérêt sur un trop grand nombre de têtes. Mais il a réussi à ordonner clairement cette abondante matière : à Cassandre est dévolu, la protase terminée, le premier acte; à Astyanax le second[1]; à Polyxène le troisième. Le 4ᵉ acte cumule trois morts : on raconte successivement celles d'Astyanax et de Polyxène, et l'on apporte le cadavre de Polydore. Le dernier acte est consacré au châtiment de Polymestor.

Presque toute la pièce de Sénèque a été utilisée : le premier acte dans l'acte I, le second dans l'acte III, le 3ᵉ dans l'acte II, le chœur du 4ᵉ et le 5ᵉ dans l'acte IV. L'action est complétée, pour l'épisode de Cassandre, et pour la fin de celui d'Astyanax, par des passages des *Troyennes ;* pour le récit de la mort de Polyxène, et pour la vengeance, par plusieurs emprunts à *Hécube*[2].

En outre, Garnier s'est souvenu d'une tragédie biblique qui avait paru, sans grand succès, avant la *Troade : la Famine* de La Taille[3]. L'auteur lui avait montré la voie en imitant de près les actes II, III et V des *Troades,* ainsi que, dans *Hécube*, l'épisode de Polyxène. Entre les deux tragédies françaises il existe quelques ressemblances de détail, que l'utilisation de sources communes ne suffit pas à expliquer. Ainsi, au vers 1132, Garnier suit le même ordre que La Taille : les larmes, puis les cheveux. Le *somnum excutit* d'Andromaque (*Troades*, v. 458) est traduit, dans les deux pièces, par le même verbe : *mon sommeil s'envola,... mon somme s'envola,* et le vers suivant se termine, ici, par *deçà delà,* là, par *çà et là.* Les vers 913, 917, 1067 et 1891 de la *Troade* contiennent des mots qui semblent empruntés à *la Famine.*

Garnier s'efforce d'animer le dialogue en introduisant des vers stichomythiques et des répliques de deux à quatre vers.

---

1. Garnier a eu raison d'intercaler entre les malheurs des deux jeunes filles celui de l'adolescent.

2. Garnier ignorait la traduction des *Troyennes* due à Amyot; mais il connaissait sans doute la traduction latine d'*Hécube* qu'Erasme avait publiée en 1506; il semble, en particulier au vers 2399, qu'il suit l'ordre de l'original plutôt que celui de la traduction.

3. Cf. ma *Tragédie religieuse en France,* Paris, Nizet, pp. 425-439.

Pour la couleur locale, les bienséances et le pathétique,
la *Troade* prête aux mêmes remarques que les autres tragédies de Garnier imitées du théâtre ancien. Maint usage
antique a été passé sous silence. Garnier a laissé de côté
tout ce qui était contraire aux bienséances, en particulier
la danse délirante de Cassandre. Il a conservé les spectacles
et les gestes pathétiques, et allongé les lamentations et les
récits lugubres. Mais il faut noter que, quatre fois au
moins, il s'est efforcé de provoquer par des paroles l'horreur
macabre[1].

La mise en scène ne présente aucune difficulté. Toute
l'action se déroule sur la côte sablonneuse (v. 2052), à
peu de distance des ruines de Troie. Aux actes I, III, IV
et V, le décor se compose des tentes d'Hécube (v. 443
et 1321) et des captives (v. 2295 et 2435); elles ne sont
pas mentionnées au cours du 2e acte. Dans cet acte, comme
dans les *Troades,* on voit sur la scène le tombeau d'Hector;
il est ouvert deux fois; pendant les autres actes, il est
enlevé ou caché[2], et personne n'y fait allusion, sauf au
v. 1890. Donc deux lieux alternent, faisant partie, l'un
et l'autre, de la côte troyenne; Garnier observe l'unité
de lieu, en la prenant au sens large, selon l'usage des
tragédies de son temps[3].

Il est presque certain que le *Polydore,* joué à la fin de
juillet 1581 à Saint-Maixent par des collégiens ambulants,
était notre tragédie, intégrale ou réduite aux derniers
actes. Elle fut représentée par la troupe de Talmy dans les
Pays-Bas catholiques en 1594, et sans doute aussi en 1599.

La plus copieuse imitation de cette pièce est celle que
l'auteur, lui-même, en a faite dans les *Juives*[4]. Vingt fois,

1. Vers 1005-07, 1939-48, 2287-90 et 2531-34.

2. Cinquante ans plus tard, Sallebray, plagiaire de Garnier, situait
devant Troie en flammes, l'action de sa *Troade.* Le tombeau n'était
visible que pendant une partie du 2e acte, où nous lisons cette rubrique :
« Icy on tire une toile, et le tombeau paret dans un temple ».

3. Dans l'*Achille* que N. Filleul fit jouer au collège d'Harcourt et
publia en 1563, le 1er acte se passe au camp des Grecs, et les suivants
dans Troie.

4. Cf. notre édition des *Juives* et de *Bradamante,* pp. 262-3 et 267-
282.

dans cette tragédie biblique, on rencontre des réminiscences de la *Troade* ; mais Garnier a su les adapter à un thème hébreu et religieux.

Les malheurs de Troie ont fourni la matière d'autres tragédies françaises. Le *Priam* de François Berthrand (1605) et la *Polyxène* de Billard (1610) ne doivent aucun détail, semble-t-il, à la *Troade* ; mais, quand Billard s'inspire d'Euripide, il paraît suivre l'exemple de Garnier. Quelques années après le nouvel essor de la tragédie, Sallebray fit jouer à l'hôtel de Bourgogne sa *Troade,* et il la publia en 1640. A l'imitation de Garnier, il « contaminait » les *Troades* de Sénèque et les deux tragédies d'Euripide. Et, comme le public ne lisait plus les pièces de son devancier, il a plagié sans vergogne *la Troade* de 1579, au point de lui emprunter des rimes, des hémistiches, et des vers entiers[1]. Il serait intéressant de noter les différences de détail entre les deux pièces; on mesurerait ainsi le progrès des bienséances.

Cent ans après *la Troade* de Garnier, Pradon publia la sienne. Comme Sallebray, il s'est abstenu de nommer dans sa préface le vieux poète français. Cependant, tout en pillant Sénèque, Euripide et Racine, il a imité les vers 691-2, 995, 1309-10 et 1731 de notre tragédie.

Quand Racine choisit, pour la première fois, un sujet de pièce dans l'histoire de la guerre de Troie, il n'eut garde de négliger *la Troade* de 1579 : il lui a emprunté des expressions relatives à Troie et au fils d'Hector[2].

Au xviiie siècle, la première *Troade* française ne fut pas complètement oubliée. Dans son *Discours sur le théâtre anglois* (1746), P.-A. de La Place invoquait, pour justifier ce théâtre, les exemples de Garnier, de Billard et de Corneille à ses débuts :

Garnier, auteur tragique, contemporain de Shakespeare, fait paroître dans sa *Troade* un chœur de femmes Troyennes, que la vieille Hécube excite à se fouetter sur le Théâtre en l'honneur de Priam et d'Hector.

---

1. Le plagiat a porté principalement sur les vers 297, 321, 331, 335, 341-2, 345, 649, 655, 675-6, 687, 737-8, 755, 771, 811-4, 897-8, 923-4, 1395-6, 1403-4, 1427, 1863-4, 1917, 1923-4, 1939, 1971, 2083, 2092, 2287, 2290.

2. Cf. les notes des vers 687-692, 757-764, 1427-8 de *la Troade*.

Consulter :

J. Blazot, *Les tragédies du XVIe siècle relatives à la guerre de Troie,* 1945. — Mémoire inédit, présenté à la Faculté des Lettres de Paris pour le diplôme d'études supérieures.

NOTES

Pièces liminaires. — En 1579, Renaud de Beaune n'était qu'évêque de Mende; il devint archevêque de Bourges en 1581. En 1579-82, la dédicace était plus élogieuse qu'en 1585, et Garnier y faisait allusion aux entreprises du frère d'Henri III dans les Pays-Bas; après leur complet échec (1583), il fallut supprimer ce passage. *Targue* : targe, bouclier; cf. *se targuer*. Patry Bruneau n'est pas autrement connu.

Acte I. La protase n'est pas empruntée à l'une ou l'autre des deux tragédies d'Euripide (l'Ombre de Polydore, - Neptune et Minerve), mais aux *Troades*. Les 62 vers latins du monologue d'Hécube (que Filleul avait imité dans sa tragédie d'*Achille*) sont amplifiés en 116 vers.

V. 5. A la bonne fortune apparente.

V. 6. Sén. : « *leves deos* », les dieux inconstants.

V. 9-10. La rime *contemple - exemple* est empruntée au 3e acte d'*Achille*.

V. 19. Les murs de Troie avaient été construits par Apollon et Neptune. Comme dans *Hippolyte* et *Marc Antoine*, Garnier laisse à Sénèque le nom du fleuve Tanaïs (le Don).

V. 23. *Pieds contre-mont* : sens dessus dessous. *Mont* : monceau (Sén. : *congesti*).

V. 28. Les Dolopes étaient des Thessaliens qui, au siège de Troie, étaient commandés par Achille.

V. 32. Le texte de 1579 *(se couvre)* est meilleur.

V. 43. L'Ida de Phrygie, sacré soit à cause du culte de Cybèle (*Enéide,* IX), soit à cause du sanctuaire et du séjour de Zeus (*Iliade*). *Pleureux cyprès* : souvenir de *cupressus plorata* (Stace, *Thébaïde,* IV, 460).

V. 61-62. Ulysse, Diomède, Sinon (qui trompa les Troyens), Pyrrhus, petit-fils de Pélée.

V. 70. En 1585, Garnier a supprimé la répétition de *dueil*.

V. 90-92. Ces détails ne sont pas dans Sénèque. Le premier est peut-être emprunté aux v. 1238-39 de l'*Antigone* de Sophocle.

V. 95-98. Dans son *Art poétique,* Deimier blâme la répétition de *permis,* qui fait une rime intérieure (p. 70). Les v. 97-98 sont imités au 4ᵉ acte des *Lacènes* de Montchrestien.

V. 104. Cette antithèse est ajoutée par Garnier.

V. 124. Sén. : « *fatalis Ide* ». Le jugement de Pâris, au mont Ida, est l'origine des malheurs troyens.

V. 125-256. Ce thrène à deux voix alternées est imité des v. 67-140 des *Troades,* dont Garnier s'était déjà inspiré dans les v. 1721-23 et 1945-96 de *Porcie* et dans la 1ʳᵉ édition de *Cornélie* (a. V); il les imitera, une dernière fois, aux v. 459-536 des *Juives.*

V. 130. Le navire qui conduisit Pâris à Amyclæ en Laconie, était fait de troncs de pins.

V. 138. Gargare, ville au pied de l'Ida. Le cap Sigée est à l'entrée de l'Hellespont.

V. 145. *Esclandre :* malheur, désastre.

V. 185. L'expression *blonde soye* est de Garnier, de même que le *blondissantes* du v. 558.

V. 197. Rhétée, promontoire de la Troade.

V. 204. Echo ne se contentera pas de répéter la dernière syllabe.

V. 216. En se corrigeant, Garnier a supprimé la répétition d'un verbe.

V. 239-244. D'une part, Hercule avait pris Troie et fait prisonnier le jeune Priam. D'autre part, Philoctète, à qui il avait légué ses flèches, les remit aux Grecs qui assiégeaient cette ville.

V. 252. Zeus Hercéen, protecteur de l'enclos, de la maison familiale.

V. 257-272. Tirade imitée du dialogue d'Hécube avec le chœur (*Troades,* v. 141-162). Le beau vers 267 est original.

V. 273. Ici commence l'imitation des *Troyennes* d'Euripide (v. 230-276). *Argolique, argolide, argive :* grec.

V. 282. *Moiteux :* humide, baigné par la mer.

V. 290. *Ame :* individu.

V. 297. C'est dans le temple troyen de Minerve que Cassandre fut violée par Ajax. Ce vers est imité par Bassecourt (*Trage-comédie,* v. 253).

V. 303. *Templette :* bandelette des tempes (*Troyennes,* v. 258).

V. 304. En 1585, Garnier supprime une répétition oratoire.

V. 313-348. Imité des v. 308-364 des *Troyennes.* La Cassandre française ne danse pas et ne porte pas de flambeau, elle détaille la mort d'Agamemnon, et elle ajoute la vengeance d'Oreste. Les diverses prédictions de Cassandre sont aussi répandues dans la poésie française du temps que chez les Anciens; cf. les *Agamemnon* d'Eschyle et de Sénèque, l'*Alexandra* de Lycophron, l'*Ode de la paix,* de Ronsard et sa *Franciade* manuscrite, l'*Achille* de Filleul, l'*Hector* de Montchrestien, le *Priam* de Berthrand.

V. 319-320. Les traductions modernes du v. 352 des *Troyennes* diffèrent beaucoup de celles qui en ont été faites au XVIᵉ siècle. *Carme :* chant.

V. 332. Egisthe, fils de Thyeste, amant et complice de Clytemnestre. *Mol* : voluptueux.

V. 335-340. Imité de l'*Agamemnon* de Sénèque, v. 890-6. *Se touiller* : se vautrer; cf. le v. 1153 de *Marc Antoine* et l'épitaphe de Rabelais par Ronsard.

V. 343. Oreste, amoureux d'Hermione. Prononcer *prian*.

V. 349-354. Garnier s'inspire des v. 408-419 des *Troyennes,* mais il laisse de côté les réflexions triviales de Talthybios.

V. 354. Agamemnon est à la fois le gendre et (par Tantale) le descendant de Jupiter.

V. 355-444. Imitation libre des v. 365-405, 419-420 et 445-465 des *Troyennes.* Garnier ajoute une discussion stichomythique (v. 355-374), accentue le pathétique dans les v. 387-392, affirme la vertu de la guerre défensive, et laisse de côté un tableau macabre (*Troyennes,* v. 448-450).

V. 357-58. En 1580, Garnier a corrigé une rime insuffisante.

V. 374. Clytemnestre, fille de Léda qui eut Tyndare pour mari, pourra, une fois veuve, épouser Egisthe.

V. 381. Apollon envoya la peste aux Grecs (cf. *Iliade,* I).

V. 388. Livrés au hasard.

V. 391. *Composer* : fermer.

V. 429. *Pataréan* : Apollon, adoré à Patare, en Lycie.

V. 444. *Repoindre* : tourmenter à nouveau.

V. 445-556. Chœur en rimes masculines, imité du chœur des *Troyennes* (v. 511-576). En outre, dans le 2e chant de l'*Enéide,* le récit d'Enée a fourni les détails pittoresques ou pathétiques des v. 450, 466, 470-3, 477-8, 489-92, 497-8, 509-512, 516, 546-7.

V. 493. *Recoy* : repos. *Vineux* est expliqué par les vers suivants. Cf. S. François de Sales, sermon du 10 mars 1622, fin : « la mort a des *pieds de coton* avec lesquels elle vient si doucement que l'on ne s'en aperçoit point ».

V. 520. *Foiblet* : dans *la Troade,* comme dans *les Juives,* Garnier multiplie les diminutifs au sujet d'enfants malheureux (cf. mon article sur son vocabulaire, dans le *Français moderne,* 1949, p. 174-5).

V. 555. *Faux* : sans réalité. *Rengréger* : aggraver.

Acte II. V. 557-748. Ce dialogue entre Andromaque et son beau-frère Hélénus, en présence d'Astyanax (qui ne parlera qu'aux v. 1115-19), est imité des v. 409-523 des *Troades.* Chez Sénèque, le rôle d'Hélénus est tenu par un vieillard anonyme, et les v. 409-411 n'ont aucun rapport avec le thème que le chœur vient de traiter. Ici, le douloureux récit que les Troyennes ont fait à la fin du 1er acte, justifie les v. 557-560.

V. 560. *Albâtre* est un emprunt à la poésie amoureuse du siècle.

V. 568-9. Détails tirés des v. 1094 et 1107 d'*Hippolytus ;* cf. *Hippolyte,* v. 2119-20.

V. 592. Un souvenir passe et repasse en mon esprit.

17

V. 598-628. Imité de l'*Iliade*, XXIV, v. 723-746. Garnier ne semble pas avoir utilisé la version de Jamyn, et il traduit parfois plus fidèlement *(navires caves)*.

V. 609. En 1585, Garnier supprime une répétition oratoire.

V. 612. Rime pour l'oreille.

V. 645-700. Le récit de l'apparition d'Hector (*Troades*, v. 438-488), dans lequel Sénèque avait développé quelques vers de l'*Enéide*, a été souvent imité par nos dramaturges de la Renaissance : La Taille dans *la Famine*, Garnier aux v. 669-706 de *Cornélie* et ici, Montchrestien au 1er acte des *Lacènes* et au 2e acte d'*Hector*, etc.

V. 687-692. Dans la 2e scène de l'acte I d'*Andromaque*, Racine a imité ces vers (cf. la rime *triomphant-enfant*).

V. 701-748. Imitation des v. 489-523 des *Troades*. Garnier augmente le nombre des vers stichomythiques et ajoute une touchante prière aux dieux (v. 715-722).

V. 703. *Voise*, subjonctif présent du verbe *aller*.

V. 732. *Lever le sourci :* montrer de la fierté. *Courage :* orgueil.

V. 740. *Larval :* habité par les Larves, génies funèbres.

V. 749-1037. Imité des v. 524-704 des *Troades*. Principales additions de Garnier : les v. 749-758, 762-6, 771-3, 838-852, 957-8, 1001-12, 1031-32.

V. 757-764. Imité par Racine (*Andromaque*, v. 162-4, 193 et 269-270).

V. 763. En 1585, Garnier emploie un verbe plus expressif.

V. 778. *Haras :* dans l'Ouest, ce mot était synonyme de *troupeau*. *Bande :* même sens. *Imbecile :* faible. *Mecheron,* diminutif de mèche. *Scintille :* étincelle. Les v. 783-6 sont imités au 2e acte de l'*Aman* de Montchrestien.

V. 788. *Casuel :* accidentel.

V. 811-4. Chez Sénèque, Ulysse dit seulement : « *petissem Orestem* ». L'Ulysse de Pradon, lui aussi, parle de son fils (*Troade*, II, III).

V. 833. Garnier ajoute le nom de Troïle, emprunté à l'*Iliade* ou à l'*Enéide*.

V. 849. Elision à la césure.

V. 854. *Moy* est complément direct. *Sonnant :* bruyant (cf. v. 1329).

V. 880. La première rédaction de ce vers était moins énergique.

V. 887. *Danois :* Grecs (lat. *Danai*).

V. 912. *Rouer :* Garnier écrit *ruer* au v. 619 et dans les *Juives,* v. 523; mais, dans l'Ouest, ce verbe était prononcé *rouer*. En outre, une confusion se faisait probablement avec *rouer,* faire tourner.

V. 918. Cette épithète, qui trahit la pitié d'Ulysse, est ajoutée par Garnier. *Attrainez,* Sén. : « *attrahe* »; cf. v. 1535, et les passages analogues d'*Antigone* et des *Juives*.

V. 925. Garnier n'a pas reconnu dans *perit* un parfait syncopé : « sans aucun doute il a déjà péri ».

V. 946. Garnier n'a pas traduit le *Deosque veros,* qui, outrageant pour les *immites deos,* peut passer pour une marque d'impiété.

V. 956. *Pirouetter,* Sén. : « *rotari* ».

V. 964. *Impassible :* qui n'éprouve aucune souffrance.

V. 966. En 1585, Garnier supprime une répétition oratoire. *Fluctueuse,* Sén. : « *Quid fluctuaris ?* »

V. 979. Au chant XXIV de l'*Iliade,* Priam, sur l'ordre des dieux, apporte à Achille une énorme rançon, pour obtenir le cadavre de son fils.

V. 982. *Dégraver :* exhumer. *Horreur :* crainte religieuse.

V. 987. Sénèque faisait allusion aux Amazones qui avaient secouru es Troyens.

V. 995. Garnier passe sous silence l'hallucination d'Andromaque (*Troades,* v. 683-5).

V. 1037-1136. Imité des v. 705-813 des *Troades.* Les v. 718-735 (Priam prisonnier d'Hercule), 743-8, 802-6 (reproches d'Andromaque à Hector), 809-812 (le vêtement d'Astyanax) sont laissés de côté. *Cure :* objet de mes soins.

V. 1062. *Nue :* dépourvue de fondement. *Fascher :* incommoder.

V. 1067-70. L'Andromaque française multiplie les qualificatifs injurieux, mais elle n'attaque pas le courage militaire d'Ulysse.

V. 1078. Vers inventé par Garnier.

V. 1082-1104. Garnier multiplie les exclamations, et ajoute des détails précis (1096 et 1100-02). *Idéan :* de l'Ida. *Animeux :* ardent.

V. 1106-19. Garnier ajoute les pleurs et les baisers, ainsi que deux répliques d'Astyanax.

V. 1137-1225. Ce chœur est le seul, dans le théâtre de Garnier, qui soit en septains et ait deux mètres pour les strophes paires et pour les impaires; ces deux formes strophiques ont rarement été employées. Le chœur correspondant des *Troades* (v. 814-860) a fourni seulement la matière des v. 1137-75, et Garnier a laissé à son modèle une vingtaine de noms géographiques. Le thème des v. 1179-85 est tiré d'un chœur d'*Hécube* (v. 629-637). Les v. 1207-34 sont imités du chœur du 3ᵉ acte d'*Hercules in Œta.*

V. 1140. Dont la coque est enduite de poix.

V. 1145. Le fleuve Pénée parcourait la vallée de Tempé et passait à Tricca. Trachine et Iolchos étaient en Thessalie, Pleuron en Etolie.

V. 1158. Délos où naquirent Apollon et Diane.

V. 1209. *Sucré :* agréable à entendre. Dans ses odes de 1550, Ronsard avait introduit cette métaphore pindarique. *Rhodope :* montagne de Thrace.

V. 1222. *Sithonien :* thrace. *Oreiller :* faire prêter l'oreille.

Acte III. V. 1235-74. Ce début de scène, où l'action est sacrifiée au pathétique, est imitée de l'*Hécube* d'Euripide (v. 59-97). Garnier remplace le loup par le lion, et ajoute les craintes relatives à Polydore.

V. 1251. *Moleste :* fâcheux, pénible.

V. 1265. *Premier :* récompenser.

V. 1275-1322. Après quatre vers d'introduction, Garnier imite, au 2ᵉ acte des *Troades,* le dialogue de Talthybius avec le chœur (v. 163-202), qui a servi aussi à Billard.

V. 1284. Allusion au séjour forcé de la flotte grecque à Aulis.

V. 1288. *Rayer :* rayonner.

V. 1319. Imité dans *Polyeucte,* v. 928 : « O de mon songe affreux trop veritable effet. »

V. 1323-76. Imité du chœur qui termine le 2ᵉ acte des *Troades* (v. 371-408). Garnier l'a déplacé afin de séparer des plaintes de la reine troyenne la discussion des chefs grecs. Ce chœur de Sénèque était cher aux Libertins français du xviiᵉ siècle (cf. H. Busson, *La pensée religieuse française de Charron à Pascal,* pp. 467 et 500, et R. Pintard, *Le libertinage érudit,* pp. 241 et 277). Mais, laissant à son modèle le « *post mortem nihil est* », Garnier emprunte au platonisme chrétien de la Renaissance la matière des v. 1347-76.

V. 1339. Sén. : *spiritus,* le souffle vital.

V. 1356. *Se bien-heurer :* se féliciter. *Chartre :* prison. *Delivre :* libéré.

V. 1365-71. L'anaphore de *là* rappelle le sonnet de Daniello, imité par Du Bellay (*Olive,* s. CXIII) et par Desportes.

V. 1377-1528. Imité des v. 203-370 des *Troades.* Garnier abrège la liste des exploits d'Achille, et néglige les v. 313-327 (querelle d'Achille et d'Agamemnon) et 362-3 (rites nuptiaux).

V. 1381. Télèphe, allié des Troyens, fut blessé par la lance d'Achille, qui ensuite le guérit. Rendu sage par sa blessure, il prit alors le parti des Grecs.

V. 1383. Memnon, fils de l'Aurore. Penthésilée, reine des Amazones.

V. 1399. *Attrempance :* modération.

V. 1427-28. Dans *Andromaque* (v. 211-2), Racine a imité ces vers plutôt que les vers correspondants des *Troades.*

V. 1438. *Redonder :* rejaillir.

V. 1446. Cf. Cicéron, *Pro Archia :* « *optimus quisque gloria ducitur* ».

V. 1460-61. Allusion à l'amour d'Agamemnon pour Briséis et pour Cassandre. En 1585, Garnier choisit un adverbe plus approprié.

V. 1482. *Haineux :* ennemi.

V. 1490. Scyros, île près de l'Eubée. Achille vécut, jeune, à la cour du roi Lycomède ; de sa fille Déidamie il eut Pyrrhus.

V. 1493. Confusion fréquente entre la Néréide Thétis, mère d'Achille, et Téthys, femme de l'Océan. Cf. les *Troades,* v. 879-880.

V. 1498. La mer couverte d'écume blanche. Eaque, fils de Jupiter et père de Pélée.

V. 1512. Vers inventé par Garnier.

V. 1513. Dont la sagesse a supprimé le retard de la guerre : allusion au rôle de Calchas à Aulis.

V. 1529-1728. Chez Sénèque, Hélène venait chercher Polyxène, qui ne disait mot. Garnier préfère la version plus émouvante d'*Hécube* (v. 217-437) : Ulysse emmenait Polyxène malgré les supplications de sa mère. Ici, comme il a déjà conduit Astyanax à la mort, il est remplacé par Pyrrhus. Garnier laisse à Euripide l'évocation d'un épisode de la guerre de Troie (v. 239-252), les allusions politiques et l'argumentation d'Hécube (v. 254-273), les gestes antiques de supplication (v. 273-4, 286, 339, 342-4), la comparaison avec le rossignol (v. 337), les viles occupations de l'esclave (v. 362-3), les caresses filiales (v. 410), les adieux au sein maternel (v. 424; La Taille, dans *la Famine*, les avait conservés). Il attribue à Pyrrhus les remarques du Coryphée (v. 1601-02 et 1659-62) et donne à Polyxène plus de courage et de respect filial *(Madame*, et non *Ma mère)*.

V. 1529-54. Ce début est plus mouvementé que chez Euripide. Agamemnon est parti, et les soldats tirent de la tente Polyxène, que sa mère tient embrassée.

V. 1550. *Guerdonner* : récompenser.

V. 1565. *Subvertie* : renversée, détruite. *Hostie* : victime.

V. 1575. *Poinçonner* : émouvoir. *Piété* : piété filiale.

V. 1580 et 1597-98. Cf. *Marc Antoine*, v. 1525, et *les Juives*, v. 1073.

V. 1593. *Le clair* : l'éclat. *Ains* : mais plutôt.

V. 1608. *Sentir* : ressentir. *Esclandre* : malheur. Les Pélasges étaient les Grecs primitifs. *Roux* : rouge de sang (cf. *Enéide*, I, 100).

V. 1637. En 1585, Garnier supprime une répétition de mot.

V. 1642. Alors que je sers maintenant... Cette construction de la proposition infinitive en fin de phrase se rencontre encore dans les *Satires* de Régnier, II, v. 208, et IV, v. 168.

V. 1651. L'épithète ne se trouve pas dans le vers correspondant de Sénèque.

V. 1685. Vous perce de son dard.

V. 1695. *Despiteux* : cruel.

V. 1710. Inventé par Garnier. La Polyxène de Billard regrette de ne pouvoir assister sa mère dans le malheur.

V. 1717. Garnier ajoute, à cause de l'acte II, le nom d'Hélénus.

V. 1729-44. La lamentation de l'Hécube grecque comprenait seulement trois vers.

V. 1735. Fil retors, tordu.

V. 1745-1804. Le funeste voyage de Pâris sert de prétexte à une déclamation contre la navigation, empruntée au chœur du 2e acte de la *Medea* de Sénèque (v. 301-339) et à la fameuse ode d'Horace, I, III, dont Garnier a imité aussi le rythme.

V. 1746. Pour notre malheur.

V. 1752. L'Autan, vent du sud.

V. 1762. *Peut* : put. La flotte des Grecs, au retour de Troie, fut dispersée par la tempête près du cap Capharée (île d'Eubée); cf. Euripide, éd. des Belles-Lettres, IV, pp. 9 et 31.

V. 1775. *Orée* : bord.

V. 1785-90. Constellations des Pléiades, d'Orion, des Hyades (Sén. : *pluvias Hyadas*), du Chariot, du Bouvier et des Gémeaux (Castor et Pollux). *Charton* : charretier.

V. 1793. Tiphys, pilote du navire Argo, et Jason, fils d'Eson. Le chœur de *Medea* consacre aux Argonautes les v. 318-328 et 335-367.

V. 1801. La mer où des routes avaient été tracées.

Acte IV. V. 1805-1948. Imitation très amplifiée des v. 1056-1117 des *Troades* ; chez Sénèque, les deux femmes prononçaient seulement treize vers. Garnier a multiplié les lamentations, exclamations, adjurations, et les détails pittoresques ou macabres (v. 1939-48).

V. 1807. L'Achaïe, depuis la conquête romaine, était le nom de toute la Grèce. *Gélons* : peuplade à l'est du Dniester. *Massagètes* : peuple scythe.

V. 1847. Retirée en moi-même.

V. 1850. Antithèse conforme au goût du temps.

V. 1862. Le premier hémistiche est original. *Bataille* : corps de troupes combattantes.

V. 1876. En 1585, Garnier a supprimé le vallon à cause du v. 2073.

V. 1881. *Fouteau* : hêtre.

V. 1893. *Vis* : détail ajouté par Garnier. *Constamment* : avec intrépidité.

V. 1900. En 1585, Garnier supprime la répétition *fureur-furieux.*

V. 1905. Image empruntée à Sénèque : *animis tumet.*

V. 1910. En 1585, Garnier supprime une tautologie.

V. 1918. Ces larmes d'Ulysse sont de l'invention de Garnier.

V. 1921. *Bustuaires* : s'occupant des bûchers, des tombeaux. *Propicier* : demander la protection.

V. 1925. *Tartare,* traduction moderne du *Scytha* de Sénèque. *Colque* : habitant de la Colchide. *Busire* : Busiris, tué par Hercule, ainsi que Diomède.

V. 1938. En 1585, Garnier remédie à une tautologie.

V. 1939-40. Imité par Bassecourt, v. 1774. *Ecaché* : écrasé. *Gachy* : même sens. *Cognoist* : reconnaît.

V. 1949-82. Chez Sénèque, le messager annonçait simultanément la mort de Polyxène et de son frère, et entamait, dès le v. 1118, le récit du sacrifice de la jeune fille. Garnier sépare les deux récits par un chœur, et, à partir du v. 1971, il s'inspire des v. 1136 sq. des *Troyennes* : là, Talthybios et d'autres Grecs apportaient à Hécube le cadavre d'Astyanax, sur le bouclier d'Hector, et elle procédait à sa toilette funèbre. Ici, Andromaque, après avoir commenté l'emploi de ce bouclier, quitte la scène, probablement pour aller au-devant du corps.

V. 1955. En 1585, Garnier supprime une répétition oratoire. Dans ce thrène, la fille d'Eétion énumère, comme au chant VI de l'*Iliade,* v. 413-423, ses autres deuils. Thèbe, ville de Cilicie.

V. 1976. Cf. le v. 1136 des *Troyennes* et la note du v. 2138 des *Juives*.

V. 1983-2036. Sauf la dernière strophe, ce chœur intercalaire est imité du chœur du 4ᵉ acte des *Troades* (v. 1009-41). Cf. *Cornélie*, v. 443-446. *Mord*, Sén. : *mordent*.

V. 1989-90. En 1585, Garnier supprime la rime *dueil-pareil*.

V. 2002. *Accomparé*, Sén. : *comparatus*, comparé à.

V. 2025. Pyrrha et Deucalion.

V. 2035. *Marrisson* : douleur.

V. 2037-2162. Garnier a utilisé surtout la fin du 5ᵉ acte des *Troades* (v. 1118-64), mais il a emprunté à *Hécube* (v. 484-582) la matière des v. 2037-60, 2068, 2112-22, 2130-50, 2153-56. Paraissent originaux les v. 2061-66, 2083-84, 2088-92, 2123-29, 2144. Son récit est beaucoup plus long que ceux d'Euripide et de Sénèque. Celui-ci mentionnait la présence des Troyens et d'Hélène, celui-là les paroles élogieuses des Grecs sur la morte; Garnier a supprimé ces détails.

V. 2046. *Gemmeux* : riche en pierres précieuses.

V. 2072. Cf. la note du v. 197. *Haineur* : ennemi. Le mot *populace*, venu de l'italien *populaccio*, était encore masculin.

V. 2094. *Escadrons* : groupes de soldats.

V. 2140. Cette émotion d'Agamemnon a été inventée par Garnier.

V. 2144. Cette banale comparaison remplace une autre qu'Euripide avait prêtée à Talthybios : « Belle comme la poitrine d'une statue de déesse. »

V. 2154-56. Imité à la fin des *Lacènes* de Montchrestien.

V. 2163-2212. Cette tirade, qui sert d'entr'acte entre deux malheurs d'Hécube, est calquée, jusqu'au v. 2178, sur les v. 1165-77 des *Troades*. Les souhaits de vengeance, qui seront plus tard réalisés (v. 2179-2212), sont inspirés des v. 994-6 et 1005-08 des *Troades* et surtout des v. 75-94 et 431-443 des *Troyennes* ; cf. aussi l'*Enéide*, IV, 625.

V. 2173. Le mot *massacrouere*, remplacé en 1585 par *massacreuse*, est encore plus rare.

V. 2195. Cf. la note du v. 1762. *Fluctueux* : battu par les flots. Les trois vers suivants concernent Ulysse et sont tirés de la prophétie de Cassandre dans les *Troyennes*.

V. 2199-2204. Ces vers, qui semblent originaux, concernent Clytemnestre, Oreste, Ajax, fils de Télamon, Idoménée, et annoncent l'invasion de la Grèce par les armées de Darius ou de Xerxès. *Gargariques* : cf. la note du v. 138.

V. 2212. Cf. l'expression grecque Ἰλιὰς κακῶν, une Iliade de malheurs. *Des* est, sans doute, une coquille pour *de*.

V. 2213. A partir d'ici, l'action provient d'*Hécube* ; mais c'est le chœur, et non, comme chez Euripide, une servante, qui apporte le corps de Polydore (cf. v. 2269). La tirade des v. 2215-32 est de style sénéquien. *Larval* : cf. la note du v. 740. *Dires* : Furies.

V. 2221. *Escarté* : situé loin de nous. *Par* : à travers.

V. 2228, 2282 et 2629. Au xvie siècle, on a souvent traduit l'expression *auri sacra fames* que Virgile emploie à propos du crime de Polymestor. *Hostelage* : hospitalité.

V. 2234-39. Imité des v. 690-699 d'*Hécube*. *Animeux* : belliqueux.

V. 2243-66. Développement du v. 780 d'*Hécube*.

V. 2267-68. Cf. la dédicace de *la Troade*.

V. 2270. Dans *Hécube* (v. 575), le corps de Polyxène devait être brûlé.

V. 2274-75. Imité des v. 716-720 d'*Hécube*. Les formes *meutre* et *meutrisseur* (*Antigone*, v. 2639) apparaissent seulement dans l'édition de 1585.

V. 2291. Garnier prend soin de justifier la présence, à l'acte suivant, d'un roi thrace.

V. 2299. Ce chœur, construit sur le rythme d'*Avril* et de *Bel aubépin,* ne doit rien aux trois tragédies qui ont fourni la matière de *la Troade*. Jusqu'au v. 2337, se succèdent des lieux communs ressassés par les poètes de l'Antiquité et de la Renaissance : le retour d'Astrée au Ciel (cf. *Porcie*, v. 777 sq., et Ronsard, *Hymne de la Justice*), les hommes pires que les animaux, les crimes familiaux (cf. *Métamorphoses,* I, v. 144-150, *Thyestes,* v. 40, *Hippolytus,* 555, etc.). *Detester :* maudire. *Outrer :* outrager.

V. 2305. Cf. *Porcie*, v. 777.

V. 2338-70. Ce lieu commun est déjà traité par un chœur aux v. 602 sq. de l'*Hercules in Œta*. *Courage :* sentiments.

Acte V. L'épisode de Polymestor compte, dans *Hécube*, environ 300 vers de plus que dans *la Troade*. Garnier a supprimé la discussion préalable d'Hécube avec Agamemnon, la lutte de Polymestor dans la tente, sa sentence contre les femmes, la plaidoirie d'Hécube, le dialogue stichomythique de Polymestor avec Hécube et avec Agamemnon. Le reste a été imité, plus ou moins librement, du v. 2383 au v. 2616.

V. 2391. Garnier modifie le sens des v. 958-960 d'*Hécube,* qui pouvaient sembler impies.

V. 2398. Bien qu'on se lamente.

V. 2403. Garnier passe sous silence un usage grec (*Hécube*, v. 974-5).

V. 2420. Cf. Marot : « Vostre argent... est subject à la pince. » *Que :* ce que.

V. 2432. *Marbre,* Euripide dit : un rocher noir.

V. 2449-54. Idée chère à Garnier : cf. *Porcie*, v. 601-6, et *Cornélie*, v. 159-166.

V. 2454. Ce sera son successeur qui le sentira.

V. 2458. Comme certains Anciens, Garnier confond Pluton, dieu des Enfers, avec Plutus, dieu des richesses.

V. 2461. *Iô* : la Pléiade avait introduit ce cri grec dans la langue poétique.

V. 2466-86. Chez Garnier, Polymestor gesticule moins que dans *Hécube,* et il ne se demande pas s'il devra marcher à quatre pattes.

V. 2473. Hémus, principale chaine de la Thrace.

V. 2487-88. Noter la rime. *Esbatu* : réjoui, satisfait.

V. 2493-94. Cf. *Hécube*, v. 903, *Hercules furens*, v. 735, *Cornélie*, v. 133, etc.

V. 2501. Sirius. *Bluetter* : faire étinceler. *Echon* : Echo.

V. 2531-34. Le Polymestor d'Euripide veut dévorer les captives et écarteler Hécube. On trouve de pareils cris de rage dans le *Pyrrhe* de Heudon (a. IV), l'*Alcméon* de Hardy (a. V), et même la *Mort d'Achille* de Benserade.

V. 2546. Poix enflammée.

V. 2555. Euripide dit : rassembler Troie.

V. 2558. *Poudroyer* : réduire en poussière.

V. 2568. *Chevance* : richesse, trésor.

V. 2571. *Deceptives* : trompeuses. Garnier a laissé de côté quelques détails familiers.

V. 2591. Chez Euripide, elles se servent d'agrafes.

V. 2614. Ce vers est de l'invention de Garnier.

V. 2617-66. Ces vers, dans lesquels les deux antagonistes demandent vengeance aux dieux, n'ont pas de source précise.

V. 2622. Sur une seule tête. *Quelquefois* : un jour.

V. 2631. Cf. v. 2332.

V. 2647. En 1585, Garnier supprime une répétition oratoire.

V. 2660. Garnier a répété presque textuellement ce vers dans *Antigone* (v. 667).

V. 2661-63. En 1585, Garnier a supprimé des répétitions.

ANTIGONE

NOTICE

Peu d'épisodes de l'antiquité gréco-latine ont tenu autant de place dans la poésie que les malheurs des Labdacides. Voici une liste des principales œuvres, classées par sujets :

Œdipe : *Œdipe-Roi* et *Œdipe à Colone* de Sophocle, les deux premiers actes des *Phœnissae* de Sénèque, *Œdipus Rex* écrit par Joseph Scaliger en 1557 et non publié;

Etéocle et Polynice : les *Sept contre Thèbes* d'Eschyle, les *Phéniciennes* d'Euripide[1], le 3e et le 4e actes des *Phœnissae,* la *Thébaïde* de Stace.

Antigone : *Antigone* de Sophocle, traduite en latin par G. Hervet (1541), Rotaller (1550), Lalamant (1557), en italien par L. Alamanni (1533), en français par Calvy de La Fontaine (1542, inédit) et par Baïf (1573).

Avant 1580, plus d'un poète français a fait allusion aux « malheurs thébains[2] ».

Le choix de Garnier est dû à des motifs esthétiques, moraux et patriotiques. Il trouve dans l'histoire des Labdacides de « soudains et multipliez desastres », plus variés

---

1. Avant l'*Antigone* de Garnier, cette tragédie est la plus complexe qui ait été conservée sur les Labdacides. Au combat singulier des deux frères, Euripide a adjoint les suicides de Ménécée et de Jocaste, l'interdiction d'enterrer le cadavre de Polynice, et le départ d'Œdipe et de sa fille.

2. Cf. Ronsard, *Elégie à La Péruse* (1553); Scévole de Sainte-Marthe, prologue de la tragi-comédie de *Job.*

que ceux de *la Troade*. La conduite d'Antigone à l'égard de sa famille est un éclatant exemple de piété : en donnant à cette pièce un sous-titre, le moraliste en souligne la portée; et le lieutenant criminel y trouve matière à réflexions sur la culpabilité et la punition. Enfin, la guerre civile qui désole Thèbes prêtait aux allusions. En France, sept guerres de religion se sont succédé. La haine fratricide d'Etéocle et de Polynice pouvait facilement prendre un sens symbolique[1]. Leur mère les engage à s'unir contre l'ennemi asiatique. Or Garnier et d'autres poètes de son temps donnaient le même conseil aux Protestants et aux Catholiques; dans la réalité, les deux adversaires avaient naguère repris, en commun, Le Havre aux Anglais. Par la bouche de Jocaste, Garnier fait un tableau des horreurs de la guerre qui se rapporte à la France du temps, beaucoup plus qu'à l'antique Béotie[2]. L'inimitié même des deux princes se retrouvait chez les derniers Valois : depuis 1573, le jeune duc d'Anjou s'était plusieurs fois allié aux Politiques et aux Protestants contre le gouvernement royal.

Parmi tous les malheurs des Labdacides, Garnier a dû opérer un choix. Il s'est contenté d'évoquer ce qui fait l'action d'*Œdipe-Roi,* et il passe sous silence Ménécée, fils de Créon. Il prend son point de départ dans les *Phœnissæ* de Sénèque, qui lui fournissent la matière des actes I et II : lamentations d'Œdipe en présence d'Antigone, tentative de Jocaste auprès de ses fils. L'acte III emprunte au chant XI de la *Thébaïde* de Stace le récit du duel fratricide; Garnier le complète avec le suicide de Jocaste en présence d'Antigone, et avec un entretien de celle-ci et de son amoureux. Le poème épique de Stace lui a permis de n'emprunter aux *Phéniciennes* d'Euripide que quelques détails.

Pour la mort d'Antigone, Garnier ne disposait d'aucune œuvre latine. Le drame de Sophocle était l'unique source

---

1. Ainsi, au début des *Tragiques,* d'Aubigné représente la France sous les traits d'une mère dont les deux enfants se battent sur son corps.

2. V. 794-837. Cf. aussi les v. 323 (la fuite des laboureurs), 336 (les reîtres), 901 (le saccage des églises).

possible. A ses treize cents vers correspondent les actes IV
et V. Aussi bien, l'acte IV, avec ses neuf cents vers, est-il
l'acte le plus copieux de tout le théâtre de Garnier. Emprun-
tant à son devancier l'arrestation et la mort d'Antigone,
les suicides d'Hémon et de sa mère Eurydice, le poète
français lui laisse le premier récit du gardien, peu utile et
trop familier, et la conversation de Créon avec Tirésias[1].

Avec 2.741 vers, *Antigone* n'est inférieure en longueur
qu'à l'*Esther* de P. Matthieu; c'est le drame le plus étendu
du théâtre de Garnier. En imitant trois œuvres antiques,
Garnier a fait preuve d'originalité dans la forme et le fond.
Ses qualités de dramaturge se développent; souvent il
mentionne et justifie l'entrée et la sortie des personnages;
il multiplie les courtes répliques, les vers stichomythiques.
Il a le souci de la clarté et de la vraisemblance[2]; il n'ignore
pas l'art des préparations. Si l'unité d'action manque,
tout au moins les cinq morts violentes s'enchaînent étroite-
ment l'une à l'autre, et Garnier a donné à cette pièce
complexe l'unité de héros[3].

Il laisse à Sophocle certaines familiarités de ton et
répand sur l'ensemble de la pièce la rhétorique sénéquienne.
Quelques traits de couleur locale ont été supprimés, en
particulier l'incinération du corps de Polynice[4]. Ce dernier
changement est dû probablement à un motif religieux.

Les descriptions horribles choquent l'auteur d'*Antigone* : il laisse à Sénèque et à Sophocle d'atroces détails
sur la mutilation d'Œdipe et sur les lambeaux du corps de
Polynice. Mais il continue de rechercher le pathétique :
nous entendons de longs récits du duel et des suicides
d'Antigone, d'Hémon et d'Eurydice, avec force détails

---

1. Garnier a utilisé, en plus du texte grec, la traduction libre de
Baïf, et aussi l'*Antigone* d'Alamanni (cf. la note du v. 2326).

2. Toutefois le silence prolongé d'Etéocle, à l'acte II, pèche contre
la vraisemblance, et, à la représentation, fait un effet bizarre. Cf. aussi
la note du v. 1362.

3. Ce héros est une jeune fille. Avant 1579, les jeunes filles ne
tenaient presque aucune place dans la tragédie française. Garnier a
innové en attribuant les principaux rôles successivement aux filles
d'Hécube, à Antigone, et à Bradamante.

4. Cf., la note du vers 2519.

lugubres; Eurydice raconte ses souffrances et de funestes présages; nous assistons au suicide de Jocaste, nous voyons son cadavre et celui d'Hémon. Aux spectacles et aux gestes pathétiques fournis par ses modèles, Garnier ajoute les efforts d'Antigone pour désarmer sa mère, le baiser qu'elle dépose sur son cadavre (et, en récit, celui d'Hémon sur les lèvres de sa fiancée morte), les sanglots, les gestes de deuil, le baiser d'adieu et le thrène des filles thébaines.

Peu de pièces de Garnier révèlent aussi clairement ses idées morales et religieuses. Trouvant trop inhumains les personnages de Sénèque et de Sophocle, il a embelli chacun d'eux, et surtout Antigone, qui incarne la piété familiale. Il met en lumière son amour filial, lui attribue de la tendresse pour Hémon, et supprime les paroles cruelles qu'elle adressait à sa sœur et à son oncle. Œdipe a de l'affection pour sa fille, et ne se réjouit point des crimes de ses fils; victime innocente de la fatalité, il inspire plus de pitié que de répulsion; Jocaste se préoccupe du sort de son mari; Polynice est moins dur envers elle que chez Sénèque; avec tous ses défauts, Créon a de l'affection pour sa femme et même pour ses nièces, et ses remords sont très développés; si forte que soit la douleur d'Hémon, il ne se livre à aucune violence sur son père; le chœur des vieillards manifeste plus de pitié que chez Sophocle. Quant à Ismène, elle finit par rivaliser en héroïsme avec sa sœur.

Çà et là, Garnier exprime ses idées sur la justice et sur le gouvernement monarchique[1]. Mais c'est au problème religieux qu'il donne ses principaux soins : il laisse à Sénèque tout ce qui met en doute l'existence ou la bonté des dieux[2]; leur équité et leur bienveillance, la reconnaissance qu'on leur doit sont évoquées aux v. 355, 1220, 1622-33, 1670-87 et 2086. Il introduit des notions et des formules chrétiennes. Au lieu de Jupiter, ses personnages allèguent souvent Dieu, créateur du Ciel et de la Terre, qui gouverne tout et qui a donné ses lois aux hommes[3].

---

1. V. 2086-2157; 2006-07, 2016-19, 2035-41.
2. Cf. les notes des v. 1, 596, 756, 919, 1222.
3. Cf. les notes des v. 1620, 1807-15, 2230-69, 2644-45.

Comme dans l'*Antigone* grecque, les dernières paroles de la pièce sont consacrées à la morale et à la piété.

Sur le lieu de l'action et sur le décor, nous avons, jadis, publié une étude détaillée. En voici le résumé. Garnier a modifié les textes dramatiques qu'il imitait, afin de situer toute l'action dans un lieu unique. Ce lieu, il a pris le soin de l'indiquer à la fin de l'Argument. C'est le seul qui pût convenir à Œdipe errant, à Jocaste, à ses fils en campagne, à Antigone condamnée. Tous se tiennent « hors les portes de la ville de Thèbes », mais à proximité de ces portes.

Au 1ᵉʳ acte, Œdipe et sa fille sont dans la campagne, près d'un antre montagneux et d'une source. Au second acte, aucune indication précise de lieu; Jocaste va rejoindre ses fils qui, avec leurs troupes, se rencontrent tout près de Thèbes[1]. Au troisième, le v. 1452 prouve qu'elle n'est pas rentrée dans la ville. Dans les actes IV et V, tandis que, chez Sophocle, l'action se déroule à Thèbes devant le palais royal, Garnier supprime presque toutes les allusions à ce palais; nous restons dans le voisinage des collines, (v. 1772), et nous voyons l'antre où Antigone sera enfermée. Le messager désigne la ville proche par un geste et par le v. 2443; Garnier ménage à Eurydice le temps de retourner au palais, et à Dorothée celui d'en venir. Enfin, le v. 2616 nous rappelle que l'action continue à se dérouler hors de la ville.

Le décor que l'auteur avait en vue est celui du drame satyrique des Anciens, de la pastorale moderne, tel qu'il était décrit et figuré dans les traductions françaises de Vitruve et de Serlio : « arbres, cavernes, montagnes, rochers, et pareilles choses rurales ». L'antre qu'Œdipe avait mentionné au début de l'action, devait servir au supplice d'Antigone; comme le tombeau d'Hector dans *la Troade,* il devait être caché au cours des actes II, III et V. Il est probable qu'une porte de ville devait révéler la proximité de Thèbes.

Nous ignorons si cette pièce a été jouée avant le xxᵉ siècle. Divers passages ont été imités par quelques dramaturges

---

1. Cf., sur le rôle du chœur intercalaire de l'acte II, la note du v. 592.

de la fin du xvie siècle[1], en particulier par Montchrestien.
A une époque où l'on ne rééditait plus Garnier, Rotrou lui
a emprunté le titre et le sujet de son *Antigone* qui fut publiée
en 1639. A l'exemple de son devancier, il y a « conta-
miné » les *Phœnissæ,* la *Thébaïde* de Stace, l'*Antigone* de
Sophocle; mais il a laissé de côté les personnages d'Œdipe
et d'Eurydice. L'influence de Garnier se reconnaît dans
le premier entretien d'Antigone et d'Hémon (I, iv) l'entre-
vue de Jocaste et de ses fils (II, iv), les stances d'Antigone
(III, i), le récit du duel (III, ii), la discussion des deux
sœurs (III, v), le discours de Créon (IV, i), la compa-
rution d'Antigone et d'Ismène (IV, iii et iv), la discussion
de Créon avec son fils (IV, v), et les lamentations d'Hémon[2]
(V, i-iii).

Dans sa première tragédie, Racine a fait plus d'un
emprunt à l'*Antigone* de Garnier.

En 1618, W. de Baudous publie à Amsterdam une
Tragedie van Edipes en Antigone, qui — il le reconnaît dans
la préface, — doit son origine à Garnier. C'est une très
libre traduction dans laquelle des comparses sont ajoutés,
le duel se déroule sur la scène, Echo répète les syllabes
finales prononcées par Antigone, etc.

Les seules représentations connues de cette tragédie
sont celles qui ont été données à Paris en 1944 au théâtre
Charles-de-Rochefort, peu après l'apparition de l'*Antigone* d'Anouilh, et en 1945 au Vieux-Colombier. C'est
M. Thierry Maulnier qui en avait pris l'initiative; il avait
pratiqué dans le texte de larges et indispensables coupures.

_____

1. *La Thébaïde,* écrite dans la langue de Du Bartas par le franc-
comtois Jean Robelin et publiée à Pont-à-Mousson en 1584, ne contient
pas d'imitations textuelles d'*Antigone ;* mais l'auteur s'en est souvenu.
Cf. sur cette pièce le livre de Buchetmann, cité ci-dessous.

2. En lisant la pièce de Rotrou, on reconnaît successivement les
vers 1404-05, 671, 842-7, 913-5, 936 sq. et 2416 sq., 1181-3, 1000,
1516, 1527, 1534, 1539, 1568, 1574-75, 1579, 1620, 1758, 1760, 1740-
43, 1769, 1801, 1805, 1807, 1840-41, 1850-51, 1893-1902, 1924, 1932-
39, 1972-73, 1984-85, 2006-10, 2022, 2043, 2046, 2051, 2059-61 de
Garnier. Cf. la thèse de Bernage, p. 162-6, notre article de la *Revue
des Cours et Conférences* du 15 juillet 1932, et Buchetmann, *J. de Rotrous
Antigone und ihre Quellen,* 1901.

En mai 1944, une vingtaine de critiques en ont rendu compte; ils ne connaissaient pas notre théâtre du xvie siècle, et la plupart ont jugé sévèrement l'art dramatique de Garnier. Mais plusieurs ont souligné le caractère d'actualité des adjurations de Jocaste à ses fils.

Consulter :

M. Gantner, *Wie hat Garnier in seiner Antigone die antiken Dichtungen benutzt ?* Passau, 1887.

J. Izarn, *Les imitations et l'originalité de R. Garnier dans Antigone,* 1949. — Mémoire inédit, présenté à la Faculté des Lettres de Paris.

R. Lebègue, *L'unité de lieu dans l'Antigone de R. Garnier* (*Revue du XVIe siècle,* 1924, XI, p. 238-251).

Th. Maulnier, *L'Antigone de Garnier* (*Revue de Paris,* juin 1946, p. 62-69).

NOTES

Pièces liminaires. — Barnabé Brisson, jurisconsulte et historien, deviendra premier président au Parlement de Paris pendant la domination de la Ligue, mais, en 1591, il sera pendu sur l'ordre des Seize.

Je ne puis dire : en 1585, Garnier renonce à la proposition infinitive.

Argument. — *Antigone* est la seule pièce de Garnier où le lieu de l'action soit indiqué.

Acte I. V. 1-388. Imité du premier acte des *Phœnissæ* (v. 1-319). Le dialogue est plus coupé : onze tirades et seize vers stichomythiques correspondent aux neuf tirades du texte latin. Garnier a supprimé des anecdotes mythologiques (v. 13-25 et 316-7) et des jeux de mots de mauvais goût (v. 134-7 et 262), et réduit à deux vers des descriptions horribles (v. 42-3, 159-164 et 179-180). Ses changements ont un caractère moral et religieux : il met en lumière l'amour réciproque d'Œdipe et d'Antigone (*A.,* v. 6-8, 21, 71-2, 373-7), et place la culpabilité non dans le fait, mais dans la volonté de mal faire (v. 126-136 et 188). Il admet qu'Œdipe et sa fille tiennent la Fortune ou le Destin pour responsable de ses malheurs; mais il passe sous silence la haine permanente des Dieux contre Œdipe (*Ph.,* v. 205, 253, 258), leur complicité dans les suicides (v. 151), et le dédain d'Antigone pour leur aide (v. 195).

V. 2. *Constamment :* avec constance. *Adresse :* celui qui dirige. A la différence de Sénèque, Garnier nomme Antigone dès le début.

V. 111. Antithèse chère aux poètes du temps.

V. 119. Corneille a placé cet hémistiche dans la bouche d'Auguste.

V. 121-139. Ce dialogue ne se trouve pas dans le modèle latin. Les v. 130 et 139 sont peut-être inspirés du plaidoyer d'Œdipe dans *Œdipe à Colone* (cf. les v. 547 et 964).

V. 132. La distinction entre l'erreur et le crime se trouve déjà dans *Hercules furens,* v. 1237, et dans *Hercules in Œta,* v. 885-6.

V. 153-4. Plagié par Hardy dans sa *Panthée* (v. 1079).

V. 161. En 1585, la suppression de l'*s* final à l'impératif oblige Garnier à modifier sa phrase. *Recoy :* repos.

V. 169. *Deulx,* du verbe *douloir. Palus :* marais.

V. 176. Salmonée s'efforçait d'imiter Jupiter tonnant.

V. 188. Cf. *Hercules furens,* v. 1201.

V. 192. Roi de Phénicie, père de Cadmus qui fonda Thèbes, et d'Europe (cf. v. 605-622).

V. 217. *Asprir :* irriter.

V. 259-260. En 1585, Garnier réduit une double répétition oratoire.

V. 265-276. Cette douloureuse évocation semble imitée des v. 1535-40 des *Phéniciennes* d'Euripide.

V. 313. Dans la scène correspondante, Sénèque ne donne pas le nom des fils d'Œdipe.

V. 350. En 1585, Garnier unifie deux métaphores différentes.

V. 355. L'Œdipe de Sénèque ne place pas d'espoir dans la « bonté des dieux ».

V. 361-2. Ces vers touchants sont originaux.

V. 369-370. Cf. *Hercules furens,* v. 865-6, et *Cornélie,* v. 505.

V. 380. En 1585, Garnier remédie à une redondance.

V. 383. En 1585, Garnier supprime un des trois *s'il te plaist.*

V. 391-4. Ce décor, dont les éléments sont pris dans les v. 71 et 359-360 des *Phœnissæ,* est moins romantique que celui qu'avait brossé l'Antigone de Sénèque (v. 67-72).

V. 395-400. La résignation de l'Œdipe français contraste avec les souhaits frénétiques que l'aveugle formule aux vers 328-347 des *Phœnissae.*

V. 401-2. Ces vers originaux justifient la présence d'Antigone, au 2e acte, aux côtés de sa mère. Celle-ci, avant de mourir, lui donnera un conseil semblable (v. 1218).

V. 403-467. Les *Phœnissæ* ne possédant pas de chœurs, Garnier a emprunté cet hymne de Bacchus (tout en rimes masculines) au chœur du 2e acte d'*Œdipus ;* mais l'imitation est partielle, et il a utilisé aussi un chœur d'*Antigone* (v. 1115 sq.), une ode d'Horace, et les dithyrambes de Ronsard (éd. Laumonier, V, p. 53, et VI, p. 176). Celui-ci avait déjà appelé Bacchus Nomien (pastoral), Evaste (qui pousse des cris de joie), Agnien (pur), et Bassar (vêtu d'une peau de renard). *Emonien :* Thessalien.

V. 424. *Champs phlegreans,* près de Cumes. *Gyge :* Gygès, géant à cent bras. Cette strophe et les v. 435-6 sont imités de l'ode II, xix d'Horace.

V. 429. Lycurgue, qui s'opposait aux Bacchanales, fut puni de cécité, et dans un transport de rage se mutila.

V. 430. Penthée, roi de Thèbes, adversaire du culte de Bacchus, fut mis en pièces par sa mère Agavé et par les Ménades. *Les Edonides :* les femmes thraces, et par suite les Bacchantes (au v. 483, Garnier écrit *aédonide*). La descente de Dionysos aux Enfers est le sujet d'une comédie d'Aristophane.

V. 439. Araxe, fleuve d'Arménie. *Les peuples gemmeux :* les Indiens.

V. 450. *Ta mere :* Sémélé, fille de Cadmus.

V. 453. *Les Thyades :* les Bacchantes, proprement celles qui immolent.

V. 458. *Evach,* probablement composé d'après *Evan Iach* (Ronsard, t. VI). *Agyeu* correspond à *agyieus* (protecteur des rues), lu dans une ode d'Horace ou dans les *Phéniciennes ;* mais ce titre était donné à Apollon.

Acte II. V. 468-9. Imité des v. 1-3 des *Phéniciennes. Cernant :* faisant le tour de.

V. 480-7. Imité des v. 363-9 des *Phœnissæ.*

V. 490-501. Imité du discours du messager à Œdipe (*Phœnissæ,* v. 320-7). *Contrairement bandez :* luttant l'un contre l'autre.

V. 506-591. Imité des v. 371-432 des *Phœnissæ.*

V. 535. Cf. Du Bellay, *Antiquités de Rome,* XXX : « Les ondoyans cheveux du sillon blondissant ».

V. 542. *Demarchent :* s'avancent. *Arrangez :* formés en rang. Garnier a laissé de côté un détail archéologique (v. 399-400).

V. 559-561. L'Antigone de Sénèque invite sa mère à recevoir les premiers coups, mais ne s'offre pas au danger.

V. 568. Cf. Racine, *Thébaïde,* v. 1078 : « Et commencez par moi votre horrible dessein. »

V. 581. Les oiseaux du lac Stymphale, détruits par Hercule.

V. 592-5. Ce souhait remplace les vers latins 433-441 dans lesquels le messager décrivait déjà l'arrivée de Jocaste parmi les soldats et le succès de ses adjurations. Garnier, trouvant ce laps de temps trop court pour la vraisemblance, invente un chant du chœur, pendant lequel Jocaste se rend, sans être vue du public, d'un côté de la scène à un autre côté (même procédé, au 3e acte de *Bradamante,* pour Léon).

V. 596-655. Ce chœur, lui aussi, est imité d'*Œdipus* (v. 709-763). Mais Garnier passe sous silence « l'ancienne colère des dieux contre les Labdacides », il abrège la légende d'Actéon, fils d'une princesse thébaine, et ajoute les v. 596-601 et 652-5. Les v. 599-600 sont presque identiques à deux octosyllabes qui terminent le premier acte de *Cornélie.* Castalie est une source au pied du Parnasse; Dircé et le Céphise sont en Béotie. La maladroite répétition du mot Europe est imputable à Garnier.

V. 656-935. Imitation du dernier acte des *Phœnissæ* (v. 443-664). Comme dans les anciennes éditions de Sénèque, Etéocle reste muet; en prononçant le v. 848, Polynice le désigne du regard.

V. 662. Polynice avait Adraste, roi d'Argos, pour allié et pour beau-père. *Le fort Agénoride :* Thèbes.

V. 667. Ce vers, qui reproduit à peu près le v. 2660 de *la Troade,* sera imité au début de *Cinna :* « Le fils tout dégouttant du meurtre de son père ».

V. 688 et 730. Sénèque dit : *Hasta,* une lance.

V. 698. *Targuer :* couvrir comme avec une targe, un bouclier.

V. 703. Garnier atténue la dureté de la réponse de Polynice : « *ne matri quidem fides habenda est* ». *Rudache :* rondache, bouclier rond.

V. 708. Jocaste s'adresse à Etéocle.

V. 741-5. Garnier omet l'usage d'orner de bandelettes les torches nuptiales, et ajoute d'autres rites. *Sabée :* contrée de l'Arabie.

V. 756. Garnier passe sous silence la réponse railleuse d'un dieu à Jocaste.

V. 778. Elle s'adresse à Polynice. Sénèque : « *decem mensium graves uteri labores* ».

V. 782-3. Garnier insiste sur la piété filiale d'Antigone.

V. 794-839. Certains détails réalistes ne proviennent pas de Sénèque, et ont été fournis à Garnier par nos guerres de religion : v. 798, 801, 804-5, 826 *(violer)*, 830, 832-5, 837. On peut d'ailleurs rapprocher du v. 826 l'ode de La Roche Chandieu *sur les miseres des eglises françoises* (1569).

V. 798. Image reprise dans les v. 76 de *Bradamante* et 2137 des *Juives*.

V. 817. *Sourciller :* élever. Garnier abrège la légende des murs d'Amphion.

V. 822-6 et 835. Passage imité dans la *Reine d'Écosse* de Montchrestien, v. 87-92.

V. 844. En 1585, Garnier supprime une répétition oratoire.

V. 868. Au début d'*Horace,* Sabine donne le même conseil : « Va jusqu'en l'Orient pousser tes bataillons. »

V. 869-881. Cette amplification géographique est tirée des v. 602-613 des *Phœnissæ*. Garnier laisse de côté l'Hèbre, Gargare, Sestos, Abydos, et ajoute le Tigre et l'Eurymédon, fleuve de Pamphylie. *Tymole :* le mont Tmolus en Lydie. *Retorts :* sinueux.

V. 890. Mettez-vous dans l'esprit. Sén. : « *Propone* ». *Insperément :* d'une manière inattendue.

V. 894. L'Inachie ou Argolide est traversée par le fleuve Inachus.

V. 899. *Route :* défaite. Chez Garnier, Jocaste fait appel au patriotisme et à la piété, et non, comme dans les v. 638-641 des *Phœnissæ,* au sentiment fraternel.

V. 909. En 1585, Garnier emploie un verbe de sens plus fort.

V. 910-8. Ce dialogue coupé est de l'invention de Garnier. *Contumax :* rebelle.

V. 914-5. Cf., dans l'*Antigone* de Rotrou (II, iv) et *la Thébaïde* de Racine (IV, iii), « son règne plaît ».

V. 919-923. Chez Sénèque, c'est la volonté du Créateur du monde qui a lié la haine à la royauté.

V. 924-5. Le thème de la crainte et de la haine envers le souverain est souvent traité dans les tragédies de Sénèque.

V. 930-3. Cette déclaration n'est pas dans Sénèque.

V. 936-965. Ces strophes, librement imitées d'un chœur d'*Aga-*

memnon (v. 57-107), traitent un thème cher à Sénèque. Comparer à l'*Antigone* d'Alamanni (p. 185), aux v. 151-190 de *Porcie*, 1285-96 de *Cornélie*, et 181-8 de *Marc Antoine*, et au chœur intercalaire du 4ᵉ acte de *la Thébaïde* de Robelin.

V. 967. Ils ne sont pas plus amis parce qu'ils sont frères.

V. 981-2. Imité dans la 1ʳᵉ édition de la *Reine d'Écosse* de Montchrestien, v. 119-120.

Acte III. Garnier a réduit et a placé dans la bouche d'un messager le récit que Stace avait fait du duel. Il a ajouté un début animé (v. 984-1007), le suicide de Jocaste, les lamentations d'Antigone, et son dialogue avec Hémon.

V. 995. Ce que je ferai ? Peu m'importe.

V. 1020-1193. Dans ce récit, Garnier a imité les v. 154-256, 399, 416-9, 449-451, 530-4, 542-7, 556-573 du livre XI de la *Thébaïde*. Il remplace les cendres et l'urne par la tombe (v. 1039), et il supprime l'intervention de Tisiphone et de la Piété et l'affirmation, par Polynice, de la culpabilité des dieux.

V. 1022. *Arraisonner* : adresser la parole à quelqu'un.

V. 1039. Chez Stace, Polynice souhaite pour sa femme un nouveau mariage, plus heureux que le précédent.

V. 1045. *Ecarmoucher* : ici, piquer avec l'éperon.

V. 1051. *Camp* : champ de bataille.

V. 1059. Ne perdez pas votre temps à examiner les entrailles des bœufs.

V. 1067. *Boursouffler* : souffler.

V. 1071. *Nazeaux*. Dans les *Tragiques*, d'Aubigné parle des naseaux de Dieu.

V. 1077. *Sans avantage* : sans se servir du montoir.

V. 1114 sq. Aux détails tirés de *la Thébaïde*, Garnier en ajoute d'autres qu'il emprunte aux récits épiques du xvıᵉ siècle : le *Roland furieux* (cf. *Bradamante*, v. 1061 sq.), les hymnes publiés par Ronsard en 1556, ou *la Franciade*.

V. 1131. Verbe dérivé de *se musser*, se cacher.

V. 1135. *S'entre-chamailler*. Cf. *Bradamante*, v. 1063.

V. 1139-45. Ces deux comparaisons ne proviennent pas de Stace; la première reparaîtra dans le récit du duel de Bradamante et dans l'*Hector* de Montchrestien. Cérès et Bacchus : le blé et la vigne.

V. 1161. *Apparier...* : faire sur le corps de son frère une plaie semblable.

V. 1171-72. Cette imprudence, qui causera la mort de Polynice, n'est pas mentionnée par Stace, mais par Euripide.

V. 1181. *Guigner* : regarder de côté. *Nouer* : nager. *Le fleuve d'Oubly* : le Léthé.

V. 1194. *Dires* : Furies. Garnier n'a fait aucun emprunt à la tirade que, dans l'*Œdipus* de Sénèque, Jocaste prononce avant de se tuer.

V. 1211. A moins que nous ne mourions.

V. 1218. Le conseil qu'elle donne à sa fille, justifie le monologue délibératif de celle-ci.

V. 1222-23. A nouveau, Jocaste souligne la piété filiale d'Antigone. En 1585, Garnier a changé un vers qui semblait mettre en doute l'existence des dieux.

V. 1231 et 1235. *Faire mourir :* mourir. Cf. la note du v. 794 des *Juives,* et G. Gougenheim, *Périphrases verbales de la langue française,* p. 330 sq.

V. 1237-40. Cf. Stace, XI, v. 623. *Nettie :* nettoyée.

V. 1268-69 et 1432-33. Noter la rime.

V. 1276. Dans ce monologue, Garnier développe le thème traité par Hyllus, fils d'Hercule et de Déjanire, qui veut se tuer (*Hercules in Œta,* v. 1024-30). Dans les stances du 5ᵉ acte de la *Thébaïde,* Racine attribue à Antigone une hésitation analogue. *Desourdir :* couper la trame.

V. 1280. En 1585, Garnier réduit une double répétition oratoire. *Attenu :* obligé.

V. 1287. *Et si :* et dans ces conditions. *Soulas :* plaisir.

V. 1301. En 1581, Garnier remédie à une cacophonie.

V. 1318. *Larves :* génies funèbres.

V. 1323. Chez Euripide, Antigone prononce un thrène sur les trois cadavres. Chez Stace, c'est Ismene qui se jette sur le corps de sa mère.

V. 1336-40. Cette comparaison avec Erigone, fille d'Icarios, qui fut tué par des paysans, est tirée des v. 644-7 de Stace.

V. 1345. Cf. Racine, *Thébaïde,* v. 1204 : « Ta mère vient de mourir dans tes bras. »

V. 1352. Racine s'est souvenu de cette exclamation : « Misérable ! et je vis ! » (*Phèdre,* v. 1273).

V. 1362-1455. Garnier a eu le mérite d'inventer un dialogue de deux amoureux ; mais, à la représentation, en présence du cadavre encore chaud de Jocaste, cet entretien fait une étrange impression. Dans *la Thébaïde* de Racine, c'est avant la mort de Jocaste qu'Hémon fait sa cour à Antigone.

V. 1365. Cette antithèse entre les pleurs réels et une flamme métaphorique appartient au style des pétrarquistes français du temps.

V. 1374. Le souffle vital.

V. 1383. *Pour :* à cause de, malgré. Cf. *Cornélie,* v. 457.

V. 1394. *Esbat :* réjouissance. Les Garamantes vivaient au sud de l'Atlas.

V. 1414. Aucune des Antigones antiques n'avoue un sentiment d'amour pour Hémon.

V. 1417. Comparer cette métaphore au v. 752 de *Porcie.*

V. 1420. Cf. *Cornélie,* v. 351.

V. 1434-6. Ces vers et le v. 1937 sont imités dans la tragi-comédie de Bassecourt, v. 1932-6.

V. 1452. Précieuse indication sur le lieu de l'action.

V. 1456-85. Garnier a adapté aux malheurs de la guerre le chœur du Ier acte d'*Œdipus*, où sont décrits les ravages de la peste de Thèbes.

V. 1461. *Escartez* : dispersés au loin. Sur les voyages de Bacchus, cf. le chœur de la fin du Ier acte. *Sabéans,* cf. v. 744. *Nabatheans,* autre peuplade arabe. *Onde Erythree* : golfe Persique. *Gedrosiques monts* : monts entre la Perse et l'Inde. *Dircé* : cf. v. 615. *Danois* : les Grecs.

V. 1504. Expression proverbiale, que l'on retrouve dans les *Tragiques*.

Acte IV. V. 1516-1621. Ici commence l'imitation de l'*Antigone* de Sophocle (v. 1-99). Garnier a plus que doublé le nombre des vers stichomythiques, et a introduit des sentences.

V. 1526. La correction de 1585 avait sans doute pour but d'éviter le voisinage de *soing* et de *soigneux.* Chez Sophocle, c'est Antigone qui révèle l'édit de Créon à sa sœur.

V. 1534. *Bécus :* au gros bec. Cf. *Juifves,* v. 2066.

V. 1554. En 1585, Garnier répète le verbe, pour accentuer l'opposition dans le dialogue stichomythique.

V. 1568. *Imbecile :* faible.

V. 1580-81. Ces deux vers ne proviennent pas de Sophocle. Garnier lui a laissé une dure parole d'Antigone (v. 69-70). Cf. Basse-court, *Trage-comédie,* v. 1779-80.

V. 1593. *Couverture :* prétexte.

V. 1598-99, 1606, 1608-09. Vers imités de la traduction de Baïf.

V. 1612. *Emprise :* entreprise.

V. 1613. L'Antigone grecque est plus violente.

V. 1618-19. L'idée d'une « belle mort », exprimée dans le v. 97 de Sophocle, est développée ici selon l'esprit de la Renaissance. La Polyxène de Billard attend de sa mort un honneur immortel.

V. 1620. Ce *de par Dieu* est une addition de Garnier, ainsi que le souhait admiratif d'Ismène.

V. 1622-1705. Ce chant d'action de grâces, après la délivrance, est imité librement du chœur d'*Antigone,* v. 100-161. Garnier supprime le salut initial du chœur au soleil et l'annonce de l'arrivée de Créon, remplace l'obscure comparaison de l'aigle par celles du sanglier et du faucheur, ajoute Amphiaraüs et la défaite des Argiens, et insiste sur la bonté salvatrice des dieux et sur la reconnaissance qui leur est due.

V. 1636. *Démuré :* qui a rompu le mur.

V. 1639. *Fils de Rhée :* Jupiter, fils de Rhéa, ou Cybèle. *Targuer,* cf. v. 698.

V. 1660. Près de son malheur.

V. 1670 sq. Dans les *Sept contre Thèbes* (v. 226-234), Eschyle fait exprimer par le chœur une idée semblable.

V. 1694. Garnier explique pourquoi le cadavre de Polynice est resté à l'abandon.

V. 1703. *Envergongné :* honteux.

V. 1706-2085. A partir de l'époque classique, on compterait quatre scènes : d'abord Créon et le chœur; puis les mêmes, les gardes et Antigone; ensuite les mêmes, plus Ismène; enfin Créon, le chœur et Hémon. Conformément au précepte d'Horace, trois personnes au maximum prennent part à la même discussion. Tout cet épisode est librement imité des v. 162-222, 376-581, 626-780 de Sophocle. Garnier a laissé de côté deux chants du chœur et le premier rapport du gardien.

V. 1708-23. Ces vers épiques remplacent les réflexions politiques que Sophocle prêtait à Créon.

V. 1713. Les champs de blé sont ensanglantés. Mégare se trouvait entre Athènes et Corinthe.

V. 1721 et 2011. Ogygès était un roi mythique de la Béotie.

V. 1745. En 1585, Garnier supprime une rime intérieure.

V. 1760-61. Les deux mots à la rime proviennent de la traduction de Baïf.

V. 1762-70. Ce dialogue animé est de l'invention de Garnier. Le mot GARDES est écrit en abrégé, mais la liste des Entreparleurs mentionne « les Gardes »; chez Sophocle, Antigone est amenée par un seul garde. Les impératifs du v. 1766 se retrouvent dans *la Troade* (v. 923 et 1535) et *les Juives* (v. 1373). La correction des v. 1767-68 remédie à une ambiguïté fâcheuse.

V. 1769. *Atterrer :* abattre, détruire.

V. 1772. L'adjectif démonstratif est une addition de Garnier. La rime *collines-narines* est empruntée à Baïf.

V. 1774. Sophocle : « exposés au vent ». Garnier supprime le tourbillon de poussière.

V. 1777. Sophocle mentionne la pelle au v. 249. La rime *mort-deconfort* est empruntée à Baïf.

V. 1781. Cette évocation de tigres ne doit rien à Sophocle.

V. 1789. Garnier remplace une triple libation par cette invocation aux Euménides.

V. 1807, 1810 et 1815. Garnier remplace Zeus et les autres divinités par le Dieu unique de la Bible.

V. 1835. En 1585, Garnier supprime une répétition oratoire.

V. 1837. L'Antigone de Sophocle suppose que son oncle est peut-être fou.

V. 1838. L'épithète est de l'invention de Garnier. *Faut :* fait erreur.

V. 1849. En 1585, Garnier remplace le mot *protervité,* impudence.

V. 1853. *Estre de sa cordelle :* être de son parti.

V. 1858-86. Le nombre des vers stichomythiques passe de 18 à 29. Garnier supprime une dure réplique d'Antigone à son oncle (v. 499-500), et son Antigone, au v. 1881, innocente Polynice. Le v. 1885 est bien inférieur au vers grec correspondant.

V. 1888. *Nouer :* nager. L'exclamation du chœur n'est pas dans Sophocle.

V. 1891. Cette déclaration de tendresse n'est pas dans Sophocle.

V. 1893-1940. L'Ismène française est plus héroïque et plus « glorieuse » que celle de Sophocle (cf. v. 1895, 1905, 1938, 1940). Garnier a laissé de côté une dure parole d'Antigone pour sa sœur (v. 543). Aux v. 1908-9, la rime *suivre-vivre* est empruntée à Baïf.

V. 1921. *Peine* : châtiment.

V. 1927. Le Créon de Sophocle emploie une métaphore indécente (v. 569); ni Alamanni, ni Baïf, ni Garnier ne l'ont conservée.

V. 1928. Les éditions du xvie siècle attribuaient à Antigone, et non à Ismène, le vers grec correspondant.

V. 1933. *Ame demie* : terme d'affection, copiée sur l'*animæ dimidium meæ* d'Horace (cf. mon article sur Horace dans *Humanisme et Renaissance*, III, p. 145).

V. 1934. Ce vers est de l'invention de Garnier; cf. *Britannicus*, v. 156. *Immanité* : cruauté.

V. 1944. Chez Sophocle, le chœur n'emploie pas d'épithète, et, comme au v. 1164, il fait allusion aux autres enfants de Créon.

V. 1952-59. Cette tendre plainte est de l'invention de Garnier. *Voise* : aille. *Apparira* : joindra.

V. 1966-2019. Garnier a écourté ces deux discours qui comptent, chez Sophocle, 83 vers.

V. 1998. *Premier* : récompenser. *Loyer,* qui, dans les premières éditions, rimait avec cet infinitif, n'a pas de diérèse.

V. 2024-25. En 1585, Garnier a amélioré la rime.

V. 2039-40. En partisan de la monarchie, Garnier a inventé ces deux vers.

V. 2052-53. Ces deux vers sont imités de la traduction de Baïf.

V. 2056. Garnier omet une dure parole d'Hémon à son père (v. 755).

V. 2058. *Capharez,* cf. *la Troade,* v. 1769. Garnier ajoute *beste enragee* et *ce galand.*

V. 2086-2157. Ce développement sur la justice ne semble pas emprunté à quelque tragédie antique. Cf. Ronsard, *Hymne de la Justice,* v. 477 sq.

V. 2089-90. La correction est due au même motif que celle des v. 1998-99.

V. 2119-21. Ce thème semble emprunté à la comédie du xvie siècle : cf. La Taille, *les Corrivaux,* IV, et Turnèbe, *les Contents,* IV.

V. 2150. Parce qu'il n'épargne pas les siens.

V. 2158-2229. Garnier abrège les adieux d'Antigone; il supprime le thème de la mort volontaire (v. 821), la comparaison avec Niobé, le regret du mariage, les plaintes sur l'hymen d'Œdipe, le froid raisonnement sur la perte irréparable d'un frère; il exclut Créon de cette scène. Il ajoute des détails pathétiques et touchants (v. 2160-66, 2192-99, 2218-28), et il développe le thème de la gloire d'Antigone (v. 2173-77). Ici, il remplace, avec raison, le chœur des vieillards par un chœur de filles thébaines, peut-être en souvenir d'*Iphigénie à Aulis* ou du *Jephthes* de Buchanan.

V. 2174. En 1585, Garnier introduit une répétition oratoire.

V. 2178. Le fleuve Ismènos est mentionné au v. 1124 de l'*Antigone* grecque. Billard a mis dans la bouche de sa Polyxène de semblables adieux à Troie, à la terre natale et à ses fleuves.

V. 2200. *Esclandreux* : infortuné.

V. 2224-25. Rime de la voyelle longue avec la voyelle brève.

V. 2230-69. Garnier remplace un chant choral sur la Nécessité par un thrène banal : comparez les v. 2224-25 et 2234-45 au premier chœur de *la Troade*. Il le termine par l'évocation du bonheur des justes dans l'Au-delà.

V. 2270-2325. Cette tirade originale fait symétrie aux adieux d'Antigone et nous prépare au récit du messager. Le début est empreint d'une véhémence et d'une emphase sénéquiennes. *Tartare* : cf. la note du v. 1925 de *la Troade*.

V. 2282. Nature de bourreau.

V. 2292. La roche est souvent un symbole de dureté morale dans a poésie amoureuse du XVIe siècle.

V. 2305. Andromède, fille de Céphée. Persée, petit-fils d'Acrisius par sa mère Danaé.

V. 2318. *Dilayer* : tarder. *Larveux* : même sens que *larval* (*Troade*, v. 740).

V. 2326-2415. Garnier s'inspire du fameux chœur sur l'invincible Éros que Sophocle a placé après les adieux d'Antigone (v. 781-800); il y mêle des réminiscences de la traduction d'Alamanni *(Giove, pesci, Pluto)*, des v. 887 et 893 d'*Hippolyte,* et du chœur correspondant d'*Hippolytus*. Les v. 2326-79 ont été plagiés par J. Thomas au second acte de son *Isabelle*.

V. 2348. *Douillet* : délicat.

V. 2369. Les animaux privés, c'est-à-dire domestiques.

V. 2384-85. Style pétrarquiste.

Acte V. Garnier laisse de côté les v. 988-1154 de Sophocle (discussion de Créon avec le devin Tirésias, et chant choral en l'honneur de Dionysos), et résume la discussion dans les vers 2505-09. Dans cet acte, il suit la pièce grecque (v. 1155-1353), mais ne met pas sur la scène le cadavre d'Eurydice. Scènes successives : le chœur et le messager; les mêmes, plus Eurydice; les mêmes, sans Eurydice; les mêmes, plus Créon; le chœur, Créon, et Dorothée.

V. 2416-17. La rime *bouleverse-renverse* est empruntée à un chœur de Baïf (a. IV).

V. 2432. *Haras* : cf. *Troade*, v. 778. L'énumération des v. 2432-36 est originale.

V. 2440-57. Le nombre des vers stichomythiques passe de huit à dix-huit. *Là-dedans* : la ville.

V. 2461-97. Neuf vers suffisent à l'Eurydice de Sophocle. Garnier a ajouté les v. 2470-93.

V. 2468-69. La rime *ouye-esvanouye* est empruntée à Baïf.

V. 2481. Sur l'effraie et les tristes présages des oiseaux de nuit, cf. le v. 239 d'*Hippolyte* et le v. 740 des *Juives*.

V. 2505-93. Chez Garnier, le récit compte une trentaine de vers de plus que chez Sophocle. *Deasprie* : radoucie.

V. 2509. Chez Sophocle, Créon avait décidé en même temps d'inhumer le mort et de délivrer la vivante. Comme il était beaucoup plus urgent de libérer Antigone que de s'occuper de Polynice (cf. *Antigone,* éd. Masqueray, p. 119), Garnier, pour parer à l'invraisemblance, laisse entendre que le revirement de Créon à l'égard de sa nièce est plus tardif.

V. 2512-13. Ces vers descriptifs sont de l'invention de Garnier, qui laisse à Sophocle d'affreux détails sur le corps déchiré de Polynice (v. 1016-18 et 1198).

V. 2519. Vers original. Chez Sophocle, les restes du corps sont brûlés. Cf. la note du v. 1020, celle du v. 2270 de *la Troade,* et les deux rédactions du 5e acte de *Porcie*.

V. 2534-38, 2541, 2544-54. Vers originaux. *Brosser* : courir par les broussailles. *Poster* : courir. *Capable* : assez grand.

V. 2557. *Liens de teste,* Rotaller : « *laqueo mitrali* » ; les éditions anciennes portaient μιτρῶδει. Baïf traduit comme les modernes par *ceinture*.

V. 2560, 2562-65, 2568-69, 2571-75. Vers originaux.

V. 2574. En 1585, Garnier supprime une répétition et une rime intérieure.

V. 2576. Comme les traducteurs anciens, Garnier a passé sous silence le crachat d'Hémon au visage de son père. *Reboucher* : répugner, s'irriter.

V. 2581. *Grand'erre* : promptement. Sophocle dit nettement qu'Hémon chercha à percer son père, mais le manqua.

V. 2585. Garnier avance le départ d'Eurydice et place plus de soixante vers avant l'annonce de sa mort, afin qu'elle ait le temps d'aller au palais, et Dorothée, celui d'en accourir.

V. 2591-99. Vers originaux. Cf. la note du v. 1446.

V. 2596-97 et 2636-37. En 1585, Garnier supprime de fortes inversions. *Accravanté* : accablé.

V. 2616. *Dedans la ville* : addition de Garnier; cf. la Notice.

V. 2620. Chez Sophocle, Créon entre en tenant le cadavre dans ses bras.

V. 2624-49. Garnier développe les lamentations et les remords de Créon et les réflexions du chœur. En outre, à l'usage du public, Créon récapitule les malheurs. Les v. 2644-45 semblent imités d'Horace, *Odes,* III, xxix, v. 45-48. *Moderer* : gouverner.

V. 2655. Vers original. Cette image qui figurait déjà au v. 406 de l'*Hymne*, au v. 1540 de *Porcie,* au v. 1699 de *Cornélie,* et au v. 1481 d'*Antigone,* reparaîtra au v. 503 des *Juives.* Garnier a remplacé par une suivante, Dorothée, le messager de Sophocle.

V. 2656-2737. Une fois de plus, les lamentations et les remords de Créon sont amplifiés. *Orque :* les Enfers.

V. 2682 et 2703. Cf. *Hippolyte,* v. 2321 et 2363.

V. 2693. Le v. 1303 de Sophocle, tel qu'il était imprimé avant le XIXᵉ siècle, est exactement traduit par Rotaller dans cette phrase : « *flens quidem prius mortui Megarei inclytum lectum* »; Alamanni précise : « *Megareo suo primo antico sposo* ». Pour expliquer ce vers, les scholiastes avaient inventé un premier mari d'Eurydice, nommé Mégarée. Baïf évite prudemment le mot *époux.*

V. 2724. Même mouvement qu'au v. 1352.

V. 2736. Cf. Racine, *Thébaïde,* v. 1282 : « Elle en a terminé ses malheurs et sa vie ».

V. 2738-41. Comme chez Sophocle, le chœur termine la pièce en tirant de la catastrophe un enseignement moral et religieux; cf. aussi la parole de Tirésias (Soph., *Ant.,* v. 1070).

VARIANTES

LA TROADE

T (édition séparée). *Titre :* La Troade, tragedie de Rob. Garnier, conseiller du Roy et de monseigneur Frere unique de sa Majesté, Lieutenant general Criminel au siege Presidial et Senechaussee du Mayne. A Paris, Par Mamert Patisson Imprimeur du Roy, au logis de Robert Estienne. M.D.LXXIX. Avec privilege.

a (*Tragédies,* 1580), et b (*Tragédies,* 1582). *Titre :* La Troade, tragedie.

Liminaires : Tab : A reverend pere en Dieu messire Regnaud de Beaune, Evesque de Mende, Comte de Givaudan, Conseiller au privé Conseil du Roy, et Chancelier de Monseigneur frere de sa Majesté.

Tab : vostre illustre nom. — Tab : comme vous, Monseigneur, bien que distrait à la conduite et maniment des plus importans affaires de ce Royaume, en la maison d'un des plus grands et illustres Princes de l'Europe, auquel comme à un second Hercule, les peuples estrangers se vont, pour ses vertus, reclamer en leurs oppressions. Je sçay. — Tab : qui ne traitte que perpetuelles fureurs, et ne represente. — Tab : Monarchie. Quoyque ce soit, Monseigneur, ce present fournira, s'il vous plaist, pour testifier combien j'honore et embrasse en mon cœur vos héroïques vertus, et combien je desire toute ma vie faire en vostre service, pour entre autres choses, y employer ceste Muse, toutes les fois que vous l'aurez à gré. Vostre perpetuel serviteur.

Dans T, le poème latin d'Amyus est placé à la fin du livre ; Tab contiennent le sonnet suivant :

Grece premierement fut beaucoup estimee
Pour avoir allaicté des doctes nourriçons,
Et apres elle Rome, à qui mille enfançons
Ont acquis et grand los et grande renommee :

19

Et maintenant la France est heureuse nommee,
Pour nourrir des enfans qui en maintes façons
Font bruire leurs escrits et leurs doctes chansons,
Ayans tous d'Apollon la poitrine enflammee :

Entre lesquels, Garnier, pour ton stile plus haut,
Pour avoir animé le tragic eschaffaut
Tu marches des premiers : Troade en sert d'exemple,

Où si naifvement tu descris les malheurs
Qui suivent bien souvent l'heur des grands Empereurs,
Qu'on ne doit en cercher (b : chercher) tesmoignage plus ample.

PATRY BRUNEAU.

Argument : Tab : au Roy, comme. — Tab : estant sur. — T : Ombre
d'Achille (qui avoit esté auparavant tué par Paris, voulant fiancer
Polyxene, qui luy avoit esté accordee par son pere Priam, et apres
sa mort ensepulturé sur le rivage de la mer) apparut. — Tab : Grecs
qui l'avoyent mesprisé. — T : Lesquels ayant; ab : Et ayants. —
T : galeres estoyent comme immobiles, et ne pouvoyent estre tirees
du port, resolurent; ab : galeres immobiles demeuroyent au port et
n'en *etc.* — T : de la luy consacrer et faire occire. — T : A quoy ceste
fille se. — T : aperceu le corps mort de Polydore. — Tab : la ville,
qu'elle fust prise et ruinee : à fin que luy, estant tiré de cest orage,
peust survivre, et par le. — Tab : avec luy, il peust ramasser. —
Tab : receu massacré. — T : et en partie avoir apportez avecques soy,
pour; ab : et en partie avoir secrettement apportez pour. — Ta : en
partie de l'Hecube et Troades.
     V. 11, T : muable aux hommes ne. — 14, T : comme autour de
nous elles. — 32, T : Se couvre. — 38, T : Bourdonnant, jusqu'au
ciel et. — 56 *et* 57, T : Tous les maux que. — 70, T : Songe à ton
propre dueil, à; ab : Pense à ton propre dueil, à. — 97, T : permis
luy clorre les. — 98, T : Et dire dessur luy. — 103, ab : cruel, las et
tombeau. — 104, T : Qui jadis tant. — 116, T : Et nul de tous les
Grecs ne. — 143, T : un infortune. — 180, Ta : Reveillant. — 203, T :
Nos lamentables. — 216, T : Nous souffrons d'aspres. — 245, ab :
le corps. — 272, T : toutes choses. — 284, T : Regorgeans. — 300,
T : Luy pouvoit advenir. — 304, Tab : teste, autour de. — 311, a :
mis. — 319, T : vous, apportez des. — 324, T : combler l'Atreide
maison. — 348, T : avoir de ce. — 357-58, T : Ils ne scauroyent oncque
estre égaux à nos encombres. — Rien ne peut égaler leurs futurs
malencontres. — 362, T : Leurs vaisseaux, engloutis, periront sous
les; ab : Leurs vaisseaux periront engloutis sous les. — 371, T : J'ay
sur luy respandu tant. — 372, T : Elle espandra sur luy des mots. —
378, T : Ont emply mille naus de. — 388, T : lamentans leurs trespas

hasardeux. — 390, Ta : pouvans. — 394, Tab : charongniers. — 416,
c : ces *(lapsus)*. — 424, T : n'eust, ainsi qu'il fait, aux. — 425 *et* 426,
T : dedaigne, compaigne. — 427, T : allon *(3 fois)*. — 451-2, T :
logeoyent espars Maints squadrons armez de soudars. — 461, c :
Accourent *(lapsus)*. — 472, T : Cet image fallacieux. — 473-78, Tab :

> Nos portaux on fait ruiner
> Pour dans Ilion l'attrainer,
> Nos murailles on met à bas
> Pour le presenter à Pallas.
> Ce pendant le beau jour lassé
> S'est dedans la mer abaissé.

479, T : Cedant à. — 480, Tab : d'un pié tenebreux. — 487, Tab :
Succedent les riches festins. — 489-90, Tab : Puis le Somne inaccous-
tumé S'est dedans nos yeux enfermé. — 499-500, Tab : Confortant
des labeurs passez Nos corps et nos esprits lassez. — 511, c : leurs. —
517, T : Nous serrent de leurs bras menus. — 533-4, Tab : Et nous,
embrassant nos espous Qui vont trespassant devant nous. — 542-4,
Tab : Aussi frequens que les sanglots Vont nostre gosier estoupant,
Et nostre voix entrecoupant. — 555, Tab : Et jamais ton. — 571,
Ta : vey. — 573, Tab : Alors tous les tourmens j'enduray de la vie. —
597, T : Que palle. — 609, Tab : rempart, vous estiez sa defense. —
616, a : ce que ja. — 618, Tab : vous aurez occis. — 624, T : Conforté
mon esprit, qu'il. — 631, Tab : Mais il me contraint vivre. — 649,
Tab : Non tel qu'il foudroyoit les. — 650, Tab : Et qu'il. — 666,
Tab : A vostre geniteur que vous estes semblable ! — 668, T : Ain-
sin. — 700, T : ce funeste endroit. — *Dans* T *les v. 733-5 ne sont pas
guillemettés.* — 751, Tab : Le vent est calme assez. — 763, Tab : vienne
lancer de. — 772, b : De. — 831, Tab : moy rondement sans. — 846,
T : Qu'arraché nous n'ayons la. — 849, T : il vous convient le rendre.
— 858, T : que l'amour que lon porte. — 864, Tab : tourmens pires
que mille. — 880, T : Qu'un vainqueur peut songer, me tombe sur
le chef. — 889, T : il donc raisonnable. — 895-6, T : » Celuy ne craint
les Dieux en parjure invoquer, » Qui de l'ire des Dieux ne se fait que
moquer. — 906, T : Mais il faut envers vous en user au contraire. —
910, T : porté femme aucune. — 912, T : Porter sur. — 913, T : faut,
je chancelle, je tremble. — 917, T : Voila bon, tout va bien, la. —
918, T : découvert la feinte. — 960, c : voir d'Hector *(lapsus)*. —
966, T : Mais pourquoy si long temps branlé-je; ab : Mais pourquoy,
mais pourquoy branslé-je. — 974, T : Sus conserve celuy qu'ils. —
1010, T : n'estre, mon enfant, si boüillans au carnage. — 1032, T :
tout cela m'est. — 1050, Tab : Comme me voyez faire, et. — 1065,
Ta : laisseroy. — 1077-78, Ta : voudroy. — 1086, Tab : voir à ton
pere semblable. — 1133, Tab : Que je viens d'arracher, tirant. —
1146, T : vallons tenebreux. — 1170, T : L'on nous distribue et departe.

1197, T : Et nos. — 1198, T : Sont en terre. — *Dans* T, *les v.* 1207-20
ne sont pas guillemettés. — 1225, T : Ayant perdu à son retour. — 1226,
T : Dans la. — 1238, Tab : Qui maintenant esclave avecques. —
1258, Tab : Ravie m'a esté par un. — 1301, Tab : Il alloit moissonnant. — 1302, Tab : Couvrant le champ poudreux de monceaux. —
1304, T : le chemin de. — 1321, Tab : Portons-la dans sa tente. —
1332, T : nous destruire entierement. — 1338, T : Et qu'alors mesmes,
et qu'alors. — 1365-67, T : Où. — 1384, T : a destruit le. — 1425,
c : l'insolence. — 1457, Tab : superbe, arrogant en. — 1461, Tab :
beautez insolemment t'esprendre. — 1484, T : » Ce qui n'est defendu
par les severes loix. — 1531, Tab : son rouge sang. — 1555-56, T :
assez mes enfans n'ont Parmi le sac Troyen veu l'Erebe profond ? —
1595, Ta : de sens rassis. — 1612, Ta : leur païs ? — 1636, T : à ces
plaisirs. — 1637, Tab : quel plaisir pourrois. — 1640, T : D'estre
d'un Roy l'espouse et dans un. — 1654, Tab : ce dur sacrifice. —
1655, T : A fin de ne souffrir, sous estrangere loy. — 1657-58, Tab :
» Il est bien plus aisé perdre une fois la vie » A fille de bon cœur que
de vivre asservie. — 1670, Ta : hostie vous. — 1680, T : double
carnage appaise cet Heros; ab : cet. — 1689, Tab : point, plustost
que. — 1711, Tab : moy sur le funebre bord. — 1728, T : Que le
couteau l'on vienne en. — 1751, Tab : N'a craint des Aquilons les. —
1752, Tab : Ny des Autans pesteux. — 1768, T : foudres. — 1777,
Tab : jadis, qu'heureux furent nos peres. — 1781, Tab : francs et de
feintes cautelles. — 1783, T : Labouroyent parcsseux leurs; a : Labouroyent, paisibles, leurs; b : Paisibles labouroyent les. — 1789, bc :
sans nous encore *(lapsus)*. — 1815, T : Qu'a-ton veu de semblable ?
et qu'a-ton veu. — 1816, T : Durant tous les dix ans de. — 1857,
Tab : et recogneu trophee. — 1876, Tab : En un large valon qui
jusqu'aux murs s'estend. — 1877, Ta : Argolide armee. — 1900,
Tab : Elançant la fureur : ainsi que furieux. — 1901, Tab : Se monstre
un Lyonceau, bien que foiblet. — 1902, Tab : Et que sa jeune dent
ne puisse encore offendre. — 1903, Tab : Il tasche toutefois. — 1910,
Tab : une jumelle flame. — 1916, Tab : ses larmes. — 1938, Tab :
corps, le mettre en sepulture ? — 1942, Tab : bref de tout son corps
vous ne verrez partie. — 1944, Tab : pour en faire du pain. — 1955,
Tab : Las ! ne m'estoit-ce assez, assez. — 1962, Ta : laisses. — 1963,
Tab : la palle Atropos. — 1972-3, Tab : bouclier. — 1985, Tab : moins
poignante. — 1989, Tab : grand dueil. — 1990, Tab : son pareil. —
Entre les v. 1994 *et* 1995 *on lit dans* Tab :

> » De souffrir on ne fait refus
> » Un mal en tout chacun infus :
> » Et plus volontiers on supporte
> » L'aigreur de tout contraire sort,
> » Quand on voit que sa pince mord
> » Tout le monde de mesme sorte.

1995, Tab : » Las ! personne ne. — 2001, Tab : » Nul n'est reputé malheureux. — 2003-05, Tab : » O qu'une personne dolente » Sent grande consolation » Que nul en son affliction. — 2008, Tab : » De la Fortune, qui l'estreint. — 2025, T : Pyrrhe avec son mari. — 2026, T : Restant seul. — 2028, T : Un seul ils ne. — *Après le v. 2036 le mot* Chœur *manque dans* T. — 2041, T : Royne, accablee en malheurs. — 2042, T : Est confitte en regrets, en sanglots et en pleurs ? — 2043, Tab : commandoit sourcilleuse. — 2046, T : aux Indes gemmeux. — 2062, T : deusse esteindre à ceste. — 2103, T : attendrir le courage. — 2132, T : Qu'ils luy serrent les. — 2150, Tab : vierge en regret. — 2151, Tab : un torrent qui jaillist par. — 2153, Tab : Tombant contre la. — 2161, Tab : Or le sang ne coula quand. — 2167-68, Tab : où mes pleurs tourneray-je ? Où ce qui m'est restant de vieillesse employray-je ? — 2172, Tab : es. — 2173, T : massacroüere; ab : massacroire. — 2205, Ta : Fourmillans. — 2210, T : sentiez en vostre. — 2212, Tab : nous de maux. — 2266, b : ayans. — 2276, Tab : meurtres. — 2386, T : De vous revoir, Hecube. — 2387, T : ville en ce poinct embrasee. — 2402, T : sur vous, et de vous. — 2406, T : cercher. — 2415, T : N'a-til point de sa. — 2448, T : ta salle avarice; ab : ta lâche avarice. — 2456, T : Où trouveras la. — 2471, Tab : pourquoy si long temps cesse. — 2474, T : Excites aux. — 2510, Tab : bouleversez en bas. — 2557, T : Et r'animast encor les. — 2558, T : de ces murs. — 2644, Tab : Phrygiens, mais tous (a : tout) les surpasserent. — 2647, Tab : jours, mais las ! devant leur áge. — 2660, ab : degoutant. — 2661, Tab : le voyez et. — 2662, T : ne les broyez pas ! — 2663, Tab : seul Polymestor de ses. — 2664, Tab : Le merité loyer : ce qui me.

ANTIGONE

A (édition séparée). *Titre* : Antigone, ou la pieté, tragedie de Rob. Garnier conseiller du Roy, et de Monseigneur frere unique de sa Majesté, Lieutenant general Criminel au siege Presidial et Senechaussee du Mayne. A Paris, Par Mamert Patisson Imprimeur du Roy, au logis de Robert Estienne. M.D.LXXX. Avec privilege.

a (*Tragédies,* 1580) : *même titre, sauf pour le prénom de l'auteur, écrit en toutes lettres.* — b (*Tragédies,* 1582), *titre* : Antigone, ou la pieté, tragedie.

Aab : Pibrac, merveille de ce temps, de la. — Aab : advancement en honneur. Et. — Aab : seul ne communiquant à. — Aab : merites. Et qui est le François, je vous prye, chez. — Aab : louanges ? et qui ne. — Aab : subjet ? En bonne foy je ne puis dire nostre âge (bien que miserable) estre un. — Aab : la regretable saison.

Argument : Aab : Apollon, luy. — Aab : an. Suivant lequel accord. — Aab : retirerent honteusement. Creon. — A : Eschyle en sa Tragedie.

Vers 37, A : charoigne. — 42, Aab : Comme son ombre vain me suit inseparable ? — 55, Aab : Et rien ne. — 69, Aab : ne fera pourtant. — 86, Aab : Qu'engendrer j'aye peu fille. — 155, Aa : vien. — 161-3, Aab : accompagnes Les trois bourrelles Sœurs, de mon ame compagnes : Voy leurs tisons soulfreux, leurs foüets, et leurs serpens. — 184, Aab : ta bourrelle main. — 259-260, Aab : encore encore issu, Je n'estois pas encor' de. — 267, Aab : Premier que. — 302, A : thrône. — 350, Aab : Que bastir, que. — 380, Aab : Qui à ton gré se face, et selon ton vouloir. — 385, Aab : plaist, s'il te plaist, je. — 555, Aab : homicider, leurs ames espoinçonne. — 556, Aab : Si que la. — 561, Aab : se lancent contre. — 577, Aab : qu'ils soyent couplez pour en venir aux. — 591, Aab : glissant dans le ciel courir. — 746, A : allez *(lapsus).* — 804, Aab : cases des Bergers. — 844, Aab : Me

faut-il donc tousjours, me. — 849, Aab : endurer ce trompeur desloyal. — 850, Aab : Et luy, tirer proffit. — 859, Aab : Esclave, retirer
chez. — 888, A : Suivants; ab : Suivans. — 909, Aab : esté piqué de
ce. — 910, Aab : » Un Roy n'a tel. — 960, A : redoutant. — 1031,
Aab : eusse auparavant entrepris. — 1049, Aa : va camper au. —
1051, Aa : le champ. — 1066, Aab : beugler. — 1083, Aab : et dessus
les. — 1105, Aab : Et qu'il volle agité. — 1110, Aab : Se lancent l'un
sur l'autre. — 1136-37, Aab : estoc, coups de taille, Decoupoyent,
detranchoyent maint plastron, mainte escaille. — 1140-41, Aab :
bras : ils gemissent de peine, Se rident renfroignez, et en sortent
d'haleine. — 1151, Aab : Entre de pieds, de mains. — 1152-53, Aab :
et sa dextre efforcee A l'espee outrageuse en son corps enfoncee. —
1222-23, Aab : Vous aurez le guerdon de vostre pieté, Si dessus les
mortels regne la deïté. — 1236, Aab : Ça ce fer, ça ce glaive, il. —
1270, Aab : ains qu'un mesme poignard. — 1280, Aab : je ? auquel
auquel, pauvrette. — 1301, Aab : Et ja desja sa darde. — 1308, Aab :
Enfers, sortant de ce haut monde. — 1365, Aab : Arroseront de
pleurs leur amoureuse flame ? — 1379, Aab : Que n'est vostre douleur
toute enclose dans moy. — *Dans Aab, les vers 1421-23 ne sont pas
guillemettés.* — 1526, Aab : a faict soigneux Eteocle inhumer. — 1527,
Aab : armer. — 1537, Aab: Et qu'Eteocle soit conduict en sepulture ?
— 1541, Aab : » Tout courroux et rancœur. — 1544, Aab : cœur, et
que nostre asseurance. — *Dans Aa, le vers 1546 est guillemetté.* —
1554, Aab : » Jamais sans grand danger rien de beau ne se voit. —
1583, Aab : de mille et mille morts. — 1585, Aab : Tout angoisseux
tourment, pour. — 1609, Aab : » Voire, et de faire bien, encor.
— 1611, Aab : Après qu'il s'est, tyran, de. — 1713, Aab : que fait
Cerés ses chevelures. — 1733-34, Aab : mechant : qu'aucun ne s'y
avance, Que nul ne contrevienne à ma severe loy. — 1735, Aab :
S'il ne veut esprouver. — 1745, Aab : Combattant aujourdhuy pour.
— 1755, Aab : Les deux fermes. — 1759, Aab : S'aille mettre en. —
1767, Aab : Avec le frere sien. — 1768, Aab : Avecques Polynice ?
— 1771, Aab : Me l'avez vous surprise en. — 1774, A : regardans. —
1781, Aab : eussent aux pleurs contraintes. — 1803, Aab : Ce qu'ils
ont dict est vray. — 1806, Aab : a donc esmeu d'enfreindre. — 1815,
Aab : voit contredire aux. — 1817, Aab : preside en la. — 1835,
Aab : frere, frere uniq, de. — 1840-41, Aab : du Prince asservist les
rebelles, » Et les contraint ployer dessous ses loix nouvelles. — 1848,
Aab : que sa felonnie. — 1849, Aab : Que sa protervité luy. — 1850,
Aab : de Roy. — 1851, Aab : engendree, et soit niepce de moy. —
1866, Aab : est personne icy qui n'en eust faict autant. — 1867, Aab :
est personne icy qui l'ait voulu pourtant. — 1870, Aab : un tyran
animeux. — 1875, Aab : Ouy bien si vous n'eussiez mes. — 1886,
Aab : D'aimer nos ennemis à nul il. — 1891, Aab : que j'avois plus.
— 1893, Aab : Ouy certes, Creon, c'est moy qui la procure. — 1895,
Aab : car c'est moy qui l'ay. — 1916, Aab : Je seray par la mort de

tous ennuis delivre. — *Les vers 1919-20 ne sont pas guillemettés dans* A.
— 1920, Aab : N'est rassis comme lors que le bon-heur le meine. —
1949, Aab : De se voir defraudé de sa. — 1959, Aab : De ta cruelle
mort la mienne apparira. — 1965, Aab : Je n'ay aucun vouloir qui
sur vous ne repose. — 1989, Aab : » D'enfreindre et d'avilir tout ce
que lon statue. — 1999, Aab : vertu, d'honorable loyer. — 2007, A :
choses. — 2017, A : quelquesfois. — 2024, Aab : conseil, que les
mechans j'accueille. — 2025, Aab : D'accueillir les mechans aucun
ne vous conseille. — 2039-41, Aab :

> » Ils doivent obeir à celles de leurs Rois,
> » De leurs Rois leurs seigneurs, qu'il faut aimer et craindre,
> » Mais qui ne doivent pas leurs propres loix enfreindre.

2043, Aab : Femme vous estes donc. — 2048, Aab : Tu es bien
abesty. — 2049, Aab : Ny fraude ny cautele Antigone. — 2053, Aab :
Je ne suis pas si fol que d'user de. — 2054, Aab : si tu me fasches plus.
— 2081, Aab : Dequoy ayant repeu, que. — 2089-90, Aab : » Pour
d'un propre loyer, » Le bien salarier. — 2096, Aab : » Dont nos
paisibles Rois. — 2158, Aab : Voyez mes Citoyens. — 2171, Aab :
tourments allegez. — 2174, Aab : L'on parlera tousjours de. — 2202,
Aab : Nagueres. — 2205, Aa : sur les. — *Dans* A, *les vers 2416-17 sont
guillemettés.* — 2419, Aa : toutes choses. — 2449, Aa : tout. — 2459,
Aa : nouvelles. — 2505, A : desaprie; ab : desasprie. — 2526, Aa :
linceuil. — 2574, Aab : moy, je vous pry, mon. — 2595, Aa : Indigne.
— *Dans* Aab, *les vers 2596 et 2597 sont intervertis.* — 2604, Aa : toutesfois. — *Dans* Aab, *le vers 2615 n'est pas guillemetté.* — 2617, Aab :
le courroux la fait. — 2623, A : d'autre. — *Dans* Aab, *les vers 2636
et 2637 sont intervertis.* — 2639, Aab : meurtrisseur. — 2685, Aab :
obstinément. — 2691, Aab : ternissant. — 2701, Aab : Pour fendre
la poitrine.

TABLE DES MATIÈRES

LES TEXTES

Notices et Notes.

Variantes.

ACHEVÉ D'IMPRIMER SUR LES
PRESSES DE LA S. A. I. BEL
FONTENAY - AUX - ROSES (SEINE)
LE 7 NOVEMBRE 1952. (0.060/B)

Dépôt légal éditeur nº 379. - 4ᵉ trim. 1952.